标准教程
STANDARD COURSE
HSK

主编： 姜丽萍
LEAD AUTHOR: Jiang Liping

编者： 张军
AUTHOR: Zhang Jun

4下

教师用书 Teacher's Book

北京语言大学出版社
BEIJING LANGUAGE AND CULTURE
UNIVERSITY PRESS

图书在版编目（CIP）数据

HSK 标准教程 4（下）教师用书 ／ 姜丽萍主编 ；张军
编 . —— 北京 ：北京语言大学出版社，2016.6（2018.6 重印）
ISBN 978-7-5619-4528-5

I. ① H⋯ II. ①姜⋯ ②张⋯ III. ①汉语－对外汉语
教学－水平考试－教学参考资料 IV. ① H195.4

中国版本图书馆 CIP 数据核字 (2016) 第 118082 号

HSK 标准教程 4（下）教师用书

HSK BIAOZHUN JIAOCHENG 4 (XIA) JIAOSHI YONGSHU

责任编辑：郑 炜 纪 成
装帧设计：李 政 李 佳
排版制作：北京创艺涵文化发展有限公司
责任印制：周 燚

出版发行：北京语言大学出版社
社　　址：北京市海淀区学院路 15 号，100083
网　　址：www.blcup.com
电子信箱：service@blcup.com
电　　话：编辑部　　8610-82303647/3592/3395
　　　　　国内发行　8610-82303650/3591/3648
　　　　　海外发行　8610-82303365/3080/3668
　　　　　北语书店　8610-82303653
　　　　　网购咨询　8610-82303908
印　　刷：保定市中画美凯印刷有限公司

版　　次：2016 年 6 月第 1 版　　　印　　次：2018 年 6 月第 4 次印刷
开　　本：889 毫米 × 1194 毫米　1/16　　印　　张：9.25
字　　数：212 千字
　　　　　03500

PRINTED IN CHINA

致教师

为了方便广大教师对《HSK 标准教程 4》的教学目标、教学内容、教学重点和难点、教学步骤和方法等内容有一个更全面的了解，我们精心编制了《HSK 标准教程 4》上、下两册的教师用书，希望能够减轻教师的工作压力，为教师的课堂教学提供参考。

《HSK 标准教程 4》全书分上、下两册，每册 10 课，共 20 课。我们按照课本及练习册的内容设计了每课的教学环节和授课方法，突出重点和难点，提供了丰富的教学例句和课堂活动，便于教师教学。

一、教学内容和教学目标

从课文主题、语言点、词汇三个方面，概括了每课教学的重点内容，一目了然，使教师能够做到心中有数。

二、教学步骤

（一）复习旧课

复习环节是对前一课教学内容和教学效果的检查与巩固，根据反馈的信息，教师可以了解学生对前一课教学内容的掌握情况。因此在上新课前，我们设计了多样的练习形式。如：

1. 快速认读词语

主要是展示前一课的重点词语，并进行快速认读练习。在熟练认读的基础上，可以把生词扩展成短语或句子。

2. 快速回答问题

通过这个练习，教师可以对学生前一课所学内容的掌握情况进行检查。问题的设计应该结合课文内容、学生实际生活和语言点，既要有层次性，又要有趣味性，让学生"有话可说"。

3. 检查作业

前一课的作业是对学生学习效果的检验，我们会根据前一课的教学内容布置多种类型的作业，如造句练习、口头汇报等。教师可根据教学计划和时间安排，抽查学生的作业完成情况，并给予反馈，起到督促和帮助学生巩固学习效果的作用。

（二）学习新课

1. 热身

热身环节主要是围绕课本中的热身部分设计的。不仅可以导入新课的生词，也可以导入新课的话题或语言点。此环节的主要目的是聚焦学习内容，活跃课堂气氛，增加学生学习的兴趣，激发学生的求知欲。

2. 生词

此环节包括"生词快速认读及正音""生词讲解方式""字形辨认练习"和"重点生词扩展及常用搭配"四个部分。这四个部分囊括了全部生词，因此，建议处理时随课文的教学安排出现，如学习"课文1"时，只处理相应的生词。

"生词快速认读及正音"部分可以采用教师带拼音领读、学生无拼音认读、学生逐词快速认读、学生个别读、学生齐读等不同方式，教师始终要注意纠正学生的错误发音，此部分的目的是加深学生对生词的印象，熟练掌握课文生词的字形、语音、语义。

在"生词讲解方式"部分，我们根据生词的特点，利用教材现有的教学资源及其他教师方便使用的方式，设计了直观法、情景法、对比法、替换法、谐音法、提问启发等多种生词讲解方法，并对每种方法的使用进行了具有可操作性的提示，如直观法中使用的图片、实物、符号的内容，情景法中使用的肢体动作，对比法中的反义词等。

"字形辨认练习"部分，我们提供了本课生字和已学的易混淆字的对比辨认练习，目的是帮助学生进一步熟悉生字的字形。教师可根据教学时间，从字扩展到词，让学生给每对易混淆汉字组词。

"重点生词扩展及常用搭配"中扩展了本课的重点词语，扩展时注意避免出现学生不认识的词语，同时要围绕课文中的典型句子进行。

3. 语言点

语言点环节包括"解析""导入""操练""运用"几个部分，我们根据语言点的特点，提供了其架构形式或公式，简洁明了。同时，对一些需要提醒学生的要点还进行了归纳。建议语言点随课文的教学安排处理，如学习"课文1"时，只处理相应的语言点。

"导入""操练"和"运用"部分我们一般利用教材现有资源，联系课堂和学生生活实际，给出2～3个例句、对话或练习，为教师提供了丰富的教学材料，特别是在运用部分，我们设计了20多种练习形式，力求帮助学生在真实的语言交际环境中使用所学语言点。

另外，本环节每课中的某一语言点还包括"比一比"的辨析内容，即对一个语言点与其易混淆语言点或词语进行辨析，这是四级教材不同于一、二、三级的特点之一。辨析的详细内容与步骤在课本中已给出具体设计，建议按照课本的安排进行教学，本教师用书中不再重复。

4. 课文

课文的学习和操练是课堂教学环节中非常重要的部分。本环节建议教师从听入手，采用听录音回答问题、学生跟读、教师领读、学生齐读、学生分角色朗读、复述等多种形式，对课文展开学习。多种多样的学习和练习方式不仅可以提高学生的学习效率，还可以增加趣味性。

5. 扩展

本环节的教学主要围绕同字词展开。利用"不同词使用相同汉字"这一特点，归纳整理了当课与已学过的同字词，帮助学生了解汉字组词时的位置、意义和规律，同时还设计了补充练习形式，如辨识真假同字词、同字词造句等，帮助学生以字为线索，进行有效的联想记忆。

6. 课堂活动

汉语教学的重要目的是培养学生运用汉语进行交际的能力。让学生积极参与课堂中的活动，可以使学生体验到真实的交际情景，为课下进行真实的交际提供可能。教师用书中，我们为每课另增设了一个补充活动，将当课的生词、语言点、课文内容融入到活动中。让学生在参与、合作、交际中巩固所学知识，提高自己的语言运用能力。

7. 文化

文化板块也是四级教材不同于一、二、三级的特点之一。根据当课主题和教学内容，结合 HSK 四级真题，每课都提供一个文化点，增加学生的文化知识，帮助学生更全面地了解中国文化。

8. 作业

根据每课语言点、教学内容、文化内容布置相关的作业。

以上是对《HSK 标准教程 4　教师用书》使用方法的一些说明和建议，仅供参考。大体上建议每课的教学时间为 4～6 学时（即 200～300 分钟），在实际教学活动中教师可以随时调整、灵活使用。如果需要在课堂上处理练习册中的练习，教学时间可相应延长。

编　者

目 录

11 读书好，读好书，好读书

一、教学内容和教学目标

主题	阅读 （1）对话：语言学习、考试情况、阅读习惯 （2）短文：阅读方法、阅读的好处
语言点	学生能够了解并掌握： （1）"连"表示强调 （2）"否则"表示推论出的结果或提供另一种选择 （3）"无论"表示在任何条件下结果都不会改变 　　＊辨析"无论"和"不管"的异同 （4）"然而"表示转折 （5）"同时"表示更进一步
词汇	学生能够： （1）掌握本课 30 个四级大纲词汇的意义和用法 　　重点词语：流利、准确、来得及、只好、猜、页、增加、之、 　　　　　　看法、相同、表示 （2）理解"同"字的组词规律及在词汇中的意义

二、教学步骤

━ 复习旧课

1 使用生词卡片，快速认读下列词语：

空儿、永远、方向、优秀、兴奋、
建议、关键、发展、条件、低

2 快速回答问题（与第 10 课或学生实际生活有关的问题）：

（1）在选择职业时，收入和兴趣哪个更重要？为什么？
（2）有人说有钱就会幸福，你同意吗？说说你的想法。
（3）在你认识的人中，谁是知足常乐的人？
（4）你认为什么是幸福？你现在幸福吗？

3 检查作业：

请 3 名学生每人介绍一个自己认为很幸福的人。

二 学习新课

1 热身

热身1：学生两人一组，合作完成；教师指出图片，请学生根据图片说出对应的词语，教师核对答案；教师领读热身1的生词；最后全体学生齐读，教师正音。

答案：① D　② C　③ E　④ B　⑤ A　⑥ F

热身2：请5个学生分别朗读5个句子；教师领读，在朗读多音字时使用重音；请学生说出"着、数、得、长、把"5个字分别有几个读音，教师归纳并写在黑板上；教师板书"读书好，读好书，好读书"，请学生试着读出这句话，最后标出3个"好"的正确读音；请学生齐读板书的句子，教师正音。

答案：① 别着(zháo)急，马克正开着(zhe)车，他马上就到。

② 小朋友，我们一起数(shǔ)数字，学数数(shǔshù)。

③ 他要求自己每次都得(děi)把汉字写得(de)特别好看。

④ 等你长(zhǎng)高了，这条牛仔裤穿起来就不长(cháng)了。

⑤ 你帮我把(bǎ)那个没把儿(bàr)的杯子拿过来。

板书：读书好(hǎo)，读好(hǎo)书，好(hào)读书

2 生词

（1）生词快速认读及正音

课文1（对话）：流利、厉害、语法、准确、词语、连

课文2（对话）：阅读、来得及、复杂、只好、填空、猜、否则

课文3（对话）：客厅、无论、杂志、著名、页、增加

课文4（短文）：文章、之、内容、然而、看法

课文5（短文）：相同、顺序、表示、养成、同时、精彩

- 教师用PPT或卡片展示并领读生词（带拼音）；
- 取消拼音，带领学生再次认读；
- 逐词（不带拼音）闪现，请学生快速认读生词；
- 请3～5个学生快速随机认读3～5个生词；
- 最后全体学生快速齐读所有生词。

> 注意：生词认读过程中教师始终要注意纠正学生的错误发音。（后课同）

（2）生词讲解方式

直观法（图片）	图片类：阅读（热身图片 B）、复杂（热身图片 E）、猜（热身图片 C）、客厅（热身图片 D）、杂志（热身图片 A）、顺序（排队）

（续表）

直观法（实物、符号、视频）	实物类：语法（用教材的语言点，并数有几个语法）、词语（用本课生词表，并数有多少词语）、填空（用教材练习"选择合适的词语填空"的形式）、文章（用某杂志的一篇文章）、页（翻书，指着页面，并数1页、2页、3页……） 符号类：表示（写符号√、×，并配合提问）、相同（展示两个相同的汉字） 视频类：精彩（一个篮球灌篮短视频）、流利（相声"报菜名"的一小段视频）
提问启发	准确、来得及、只好、增加、之、看法、养成、同时 教师提问，引导学生说出句子： 　马克的汉语很好，他的发音怎么样？——马克的发音很准确。 　8点上课，7点起床，时间够吗？——7点起床来得及。 　你想去公园，但是突然下雨了，怎么办？——只好明天去。 　我们现在每天上4节课，压力大吗？如果每天上8节课呢？——压力增加了。 　我喜欢画画儿、唱歌、跳舞。——画画儿是我的兴趣之一。 　有的人觉得汉语很难，有的人觉得汉语不难。——人们的看法不一样。 　早睡早起这种生活习惯好吗？——应该养成早睡早起的好习惯。 　……8点到教室，……也是8点到教室。——他们同时到教室。

（3）字形辨认练习

教师用卡片或 PPT 展示，请学生快速辨认并读出，最后给每个字组词。

厉—历—厅　　准—谁　　　连—过

阅—问　　　空—容—客　　猜—请—精

则—利　　　著—者

（4）重点生词扩展及常用搭配

流利—很 / 比较 / 非常流利—说得很流利—汉语说得比较流利—他说汉语说得非常流利。

准确—非常准确—不太准确—说得不太准确—很多句子说得不太准确。

来得及—7点走来得及—8点走来不及—7点走来得及来不及？—两个小时应该来得及。

只好—只好放弃—最后只好放弃了—时间来不及，最后只好放弃了。

猜—猜答案—猜一个答案—随便猜了一个答案，结果一个都没猜对。

页—打开第一页—一页书—3 分钟读一页书。

增加—增加知识—坚持阅读能增加知识。

之—之一 / 前 / 后—我的好朋友之一—看完一本书之后—看完书之后，把主要内容记
　　下来。

看法—我的看法—自己的看法和判断—我们看书要有自己的看法和判断。

相同—相同的汉字—看法不相同—每个人的看法可能都是不相同的。

表示—表示客气—表示感谢—表示不同的意思—这个句子的汉字相同，却表示了不
　　同的意思。

3 语言点

（1）连

① 语言点解析

　　"连"，介词，表示强调，常用"连……也 / 都……"结构。说话人通过强调一
项极端或突出的例子，来说出一般的情况或结论。

"连"强调宾语

② 语言点导入

- 利用图片，提问导入。

　　教师向学生展示自己满满的日程表。

　　教师：你们觉得老师忙吗？有休息的时间吗？

　　学生：老师太忙了，连休息的时间都没有。

③ 语言点操练

- 利用热身 1 图片 A，提问操练。

　　教师：马克的中文特别好，你们觉得他看得懂中文杂志吗？

　　学生：马克的中文特别好，连中文杂志都看得懂。

- 教师展示一些笔画比较复杂的汉字，引导操练。

　　教师：马克每天练习写汉字，这是他写的汉字。

　　学生：他太厉害了！连这么复杂的汉字都会写。

④ 语言点运用

　　请学生两人一组，根据提示补全对话，并分角色表演。

　　A：朋友送给我两张音乐会的票，周末我们一起去听吧！听说这次的音乐会特别好，
　　　　很多人想去听，可是 _____。（连、票）

　　B：我也很想和你一起去，可是我最近太忙了，_____。（连、休息的时间）

　　A：工作再忙也要注意放松啊！就周六一个下午的时间，我们可以骑车去，正好你也
　　　　可以锻炼一下身体。

　　B：嗯，好，不过我想我们还是坐公共汽车去吧。

A：公共汽车人太多了，还是骑车去比较方便。

B：这个我也知道，可是 _____。（连、自行车）

参考答案：连票都买不到

连休息的时间都没有

我连自行车都没有

"连"强调主语

① 语言点导入

利用图片，提问导入。

教师向学生展示一张很难的汉字的图片。

教师：老师不认识这个汉字，你们知道这个汉字怎么读吗？

学生：这个汉字连老师都不认识，我们就更不可能认识了。

② 语言点操练

• 利用图片，引导操练。

教师展示两张图片：地铁上有很多广告，电梯里也有广告，请学生看图说句子。

学生：不仅地铁里有广告，连这个楼的电梯里都挂着三个广告。

• 联系生活实际，提问操练。

教师：你能听懂上海话吗？

学生：连很多中国人都听不懂上海话，我怎么能听懂呢？

③ 语言点运用

请学生根据句子意思，连线组成 5 个完整的句子，并朗读。

I. 他说的话	A. 连周末都在图书馆学习
II. 她做这件事	B. 连二班都赢不了
III. 马丁在准备下个月的考试	C. 连小林都没能坚持看完
IV. 他们队踢得不怎么样	D. 连她爸妈都不知道
V. 那个电影特别无聊	E. 连中国人都很难听懂

参考答案：I. E II. D III. A IV. B V. C

（2）否则

① 语言点解析

"否则"，连词，表示"如果不是这样"的意思。"否则"后面的句子表示从前面句子推论出的结果，或者提供另一种选择。

② 语言点导入

• 利用热身1图片F，提问导入。

教师：学习语法时应该做笔记吗？如果不做笔记会怎么样呢？

学生：学习语法时应该做笔记，否则，回家很容易忘记。

- 联系生活实际，提问导入。

  教师：经理给你安排了很多工作，为了顺利完成，你应该怎么做？如果不这样做呢？

  学生：我应该做好时间计划，否则，我一定会手忙脚乱／没法顺利完成。

③ 语言点操练

  联系生活实际，提问操练。

- 教师：如果你买的电脑有质量问题，想去换，你应该带着什么？

  学生：我应该带着购物小票，否则，商场没办法给我换。

- 教师：我最近常常咳嗽，医生说是因为抽烟。

  学生：医生说得对，你以后别抽烟了，否则，你的咳嗽会更严重。

④ 语言点运用

  请学生两人一组，根据提示用"否则"补全对话，并分角色朗读。

  I. A：今天的会议马经理怎么来晚了呢？

     B：_____。

  II. A：小丽为什么每天都跟小刚一起吃午饭呢？

     B：_____。

  III. A：妈，我不想学打网球了，太累了，又很难学。

     B：_____。

  参考答案：I. 他肯定有其他重要的事，否则，他不会迟到的

          II. 小丽一定也喜欢小刚，否则，她不会每天都跟小刚一起吃饭

          III. 遇到困难别这么快放弃，否则，以后做什么事情都不会成功的

（3）**无论**

① 语言点解析

  "无论"，连词，表示在任何条件下结果或结论都不会改变，常用"无论……都／也……"结构。"无论"后面可以是表示选择关系的并列成分，也可以是表示任指的疑问代词。常用格式：

无论 +	……还是…… 谁 什么 什么时候 哪儿／哪里／什么地方 哪 多少／几 怎么（样） 多（么）	，都／也……

② 语言点导入

• 利用热身图片 A 进行导入。

　教师：你喜欢体育杂志，也喜欢中文杂志，还喜欢经济杂志……

　学生：无论什么杂志，我都喜欢。

• 联系生活实际，提问导入。

　教师：你最好的朋友来看你，你会去机场接他 / 她吗？如果是晚上 11 点到呢？

　学生：无论他 / 她几点到，我都会去机场接他 / 她。

③ 语言点操练

　创设情境，提问操练。

• 教师：学习如果注意方法会提高得很快。工作也是一样。别的事情呢？

　学生：无论做什么事情，都要注意方法。

• 教师：我想买沙发，请问这种沙发怎么样？

　学生：无论从价格方面看，还是从质量上看，这种沙发都值得购买。

④ 语言点运用

　请学生三人一组，根据图片说出三个不同的句子。

　参考答案：无论多晚，她都想把工作做完。

　　　　　她无论怎么想，都不知道应该怎么写。

　　　　　她觉得无论是成功还是失败，自己都努力了。

⑤ 比一比：无论—不管

　按照教材中的辨析步骤进行。

（4）然而

① 语言点解析

　　"然而"，连词，用在后半句的开头，表示转折，多用于书面语。"然而"后可加逗号，表示停顿。

② 语言点导入

　联系生活实际，提问导入。

• 教师：我们觉得自己做的都是对的，你爸妈总能理解你吗？

　学生：我们觉得自己做的都是对的，然而我爸妈不是总能理解我。

- 教师：人们常说"机会是留给有准备的人"，所以我们自己做好准备就可以了。
  学生：这句话说得对，然而，只做好准备是不够的，我们还要积极去找机会。

③ 语言点操练

创设情境，引导操练。

- 教师：女人生完小孩一般会变胖，我姐姐……
  学生：女人生完小孩以后，一般都会变胖，然而我姐却没变。

- 教师：开始我们都以为中国队会赢，……
  学生：开始我们都以为中国队会赢，然而最后却输了。

④ 语言点运用

请学生根据提示用"然而"补全下面的句子，并朗读。

I. 我以为他脾气很好，＿＿＿＿＿＿＿＿＿＿。

II. 很多刚毕业的学生认为应该找工资高的工作，＿＿＿＿＿＿＿＿＿。

III. 人们常说"便宜没好货，好货不便宜"，＿＿＿＿＿＿＿＿＿。

参考答案：I. 然而小林说他常常跟别人发脾气

II. 然而我却不这么认为

III. 然而质量好的东西有时候也会很便宜

（5）同时

① 语言点解析

"同时"，连词，有更进一步的意思，常和"又、也、还"连用；"同时"还可做名词，表示动作行为在同一时间发生，常用结构为"在……（的）同时"。

② 语言点导入

联系学生实际，提问导入。

- 教师：阅读能丰富你的知识吗？
  学生：能。
  教师：能使你的生活更精彩吗？
  学生：能。
  教师：阅读能丰富你的知识，同时，还能使你的生活更精彩。

- 教师：很多人每天都长时间坐在电脑前工作，身体健康慢慢出现了问题。所以人们
  应该……
  学生：人们在努力工作的同时，也应该坚持运动。

③ 语言点操练

联系生活实际，提问操练。

- 教师：这个工作非常重要，这个工作也非常复杂。
  学生：这个工作非常重要，同时，也非常复杂。

- 教师：来中国上学对你有什么好处？
  学生：在学习汉语的同时，我还了解了中国文化。

④ 语言点运用

请学生选择"同时"在句子中恰当的位置。

I. 我 A 在中国学习的 B，还 C 顺便去了很多地方 D。

II. 每个人 A 都有自己不同的生活，B 你会羡慕别人，C 别人也会 D 羡慕你。

III. 夫妻应该 A 互相理解，在 B 接受他 / 她优点的 C，也要 D 接受他 / 她的缺点。

参考答案：I. B　II. C　III. C

4 课文

（1）就课文内容，教师将下列问题写在黑板上或用PPT展示（或教师给学生发放问题单）：

课文 1

马克学了多长时间汉语了？

大卫觉得马克的汉语怎么样？

马克认为自己汉语有哪些问题？

马克用哪些方法学习汉语？

课文 2

小雨对自己的成绩满意吗？为什么？

小雨为什么认为考试时间来不及？

小夏有几个选择题不会做，他猜对了吗？

课文 3

小李家的客厅有什么特点？

小李喜欢看什么样的书？

坚持阅读给小李带来哪些好处？

课文 4

根据调查，阅读能力好的人工作怎么样？

最简单的做读书笔记的方法是什么？

我们应该完全相信书上的内容吗？

课文 5

"读书好，读好书，好读书"这句话应该怎么读？

这句话有什么特点？

我们为什么要读好书？

"好读书"的意思是什么？

（2）要求学生带着问题，听两遍录音并回答问题，教师给出答案；

（3）学生打开课本，教师逐句播放录音，学生看课本听第二次录音并跟读；

（4）教师领读一遍课文；

（5）全班一起大声齐读一遍课文；

（6）请 2～3 组学生分角色朗读课文，教师正音；

（7）做以下课文扩展练习：

对话课文：教师带领学生根据问题单上问题的答案叙述课文内容，并请学生单个复述。

课文 1

马克来中国才一年，汉语说得很流利。但是他觉得他的语法不太好，很多句子说得不太准确。他经常和中国人聊天，还坚持看中文报纸，学到了很多新词语。

课文 2

小雨对自己的成绩不太满意，因为阅读考试题太多，他没做完。他先做了比较难、比较复杂的题，花了很多时间，结果时间来不及了，只好放弃后面简单的题。小夏有几个选择题不会做，也没猜对。

课文 3

小李的客厅到处是书。无论是普通杂志，还是著名小说，他都喜欢。他认为坚持阅读能增加知识，还能减轻压力。

短文课文：请学生根据课文内容，补全下面的语段，并请学生单个复述朗读。

课文 4

……（做读书笔记）能有效提高阅读能力。在看完一篇文章或一本书……（之后），把有用的……（词语和句子）记下来，或者记下来它的……（主要内容）。然而，你不能完全相信书上的内容，要有自己的……（看法和判断）。

课文 5

"读书好，读好书，好读书"这句话中三个汉字……（相同），但是……（顺序）不同，所以表示了……（不同的意思）。读书有很多好处，每个人都应该在……（有限的时间）内，读好的书，……（养成）爱阅读的兴趣爱好。

5 扩展

（1）领读"同意、共同、相同、同时"四个同字词，请学生说一说"同"字在词中的位置和意义。"同"的义项：

　　①一样，没有区别：相同、同意、同时

　　②共同，大家都有的：共同

（2）请学生说说还有哪些带"同"字的词，教师列在黑板上，如果没有，可补充下列真假同字词，最后请学生判断正误，教师给出正确答案。

　　同学　　同事　　　　同龄　　同票（×）

　　不同　　很同（×）　　一同　　认同

（3）请学生完成"选词填空"练习，教师给出答案。

　　参考答案：①共同　②同意　③同时　④相同

6 补充课堂活动

　　学生 5 人一组，分别用本课所学的 5 个语言点说一个句子，并写在一张纸上。然后与其他组写的句子交换，每组按照交换后的 5 个句子一起编一个小故事，最后请每组的代表给全班讲故事。

7 文化

　　教师引导学生了解中国古典文学名著之一《西游记》，可根据需求和时间安排，进行以下参考活动：

- 展示图片，认识《西游记》中的主要人物角色，说一说这些人物有哪些主要特点；
- 利用多媒体，播放《西游记》部分电视或动画内容；
- 选取一段故事情景，请学生 4 人一组模仿表演。

8 布置作业

- 每个生词写 3 遍；
- 用本课所学的 5 个语言点分别造一个句子。

12 用心发现世界

一、教学内容和教学目标

主题	人生经验 （1）对话：谈经验、生活窍门、教学方法 （2）短文：说话的技巧、工作方法
语言点	学生能够了解并掌握： （1）"并且"表示几个动作同时进行或几种性质同时存在；也表示更近一层的意思 （2）"再……也……"表示让步 （3）"对于"表示某种态度或情况所涉及的对象 　　＊辨析"对于"和"关于"的异同 （4）名量词重叠表示"每" （5）"相反"表示转折或递进
词汇	学生能够： （1）掌握本课30个四级大纲词汇的意义和用法 　　重点词语：全部、也许、保护、无法、节、解释、使用、引起、节约、仔细 （2）了解2个非大纲词汇的意义：事半功倍、达到 （3）理解"用"字的组词规律及在词汇中的意义

二、教学步骤

■■ 复习旧课

1 **使用生词卡片，快速认读下列词语：**

流利、准确、来得及、只好、猜、
页、增加、看法、之、相同、表示

2 **快速回答问题（与第 11 课或学生实际生活有关的问题）：**

（1）你的朋友或家人喜欢阅读吗？他们经常阅读什么书或杂志？
（2）你认为阅读有哪些好处？
（3）怎么养成一个好的阅读习惯？

3 **检查作业：**

请 5 名学生每人用上节课所学语言点说一个句子。

二 学习新课

1 热身

热身1：学生两人一组，合作完成；教师指出图片，请学生根据图片说出对应的词语，教师核对答案；教师领读热身1的生词；最后全体学生齐读，教师正音。

答案：①A ②C ③D ④B ⑤F ⑥E

热身2：请学生猜一猜三幅图片中东西的用途，并说一说是用什么做的；教师准备一个废弃物品，如易拉罐，请学生们说说废物利用的方法；最后请3个学生谈一谈自己生活中的经验或窍门，引出本课主题"用心发现世界"。

板书：用心发现世界

2 生词

（1）生词快速认读及正音

课文1（对话）：规定、死、可惜、全部、也许、商量、并且

课文2（对话）：盐、勺（子）、保护、作用、无法、无

课文3（对话）：节、详细、解释、对于、叶子、教育

课文4（短文）：使用、语言、直接、引起、误会、友好

课文5（短文）：*事半功倍、节约、力气、相反、任务、意见、仔细、*达到

• 教师用PPT或卡片展示并领读生词（带拼音）；

• 取消拼音，带领学生再次认读；

• 逐词（不带拼音）闪现，请学生快速认读生词；

• 请3～5个学生快速随机认读3～5个生词；

• 最后全体学生快速齐读所有生词。

（2）生词讲解方式

直观法（图片、实物）	图片类：死（鱼死后漂在水面）、商量（热身图片E）、盐（热身图片A）、保护（母鸡保护小鸡）、叶子（热身图片B）、教育（热身图片F）、友好（热身图片C）、力气（运动员举重）、相反（热身图片D）、仔细（绣花） 实物类：勺（子）
归纳法（归纳相关词语）	语言（汉语、英语、法语……）
对比法（反义词对比）	节约（浪费）
替换法（同/近义替换）	也许（可能）、无（没有）、意见（看法）、使用（用）
分解法（分解词义）	无法（没有＋办法）

提问启发	规定、全部、作用、节、详细、解释、直接、引起、误会、任务、*事半功倍、*达到
	教师提问，引导学生说出句子：
	    学校要求几点上课？——学校规定8点上课。
	    现在就下课休息，大家同意吗？——同学们全部同意现在就下课休息。

（续表）

提问启发	现在手机除了打电话，还有什么作用呢？——手机的作用很多，除了可以打电话，还可以听音乐、看电影、发短信，等等。 我们现在每天上几节课？——每天上 4 节课。 老师语法讲清楚了吗？——老师讲得很详细。 马克开会迟到了，经理很生气，所以马克得……——马克得跟经理解释为什么迟到了。 上课时你有问题怎么办？——直接问老师。 他没有告诉她真正的原因，因此……——引起了她的误会。 不是他的错，但是她以为是他的错。——她误会他了。 这次国际会议，马克负责翻译。马克的任务是什么？——这次国际会议马克的任务是翻译。 如果你的学习方法很好，那你会学得很快，这叫……——事半功倍。 如果你的学习方法不对，虽然你很努力，但也学得不太好，这叫……——事倍功半。 怎么才能达到事半功倍的学习效果呢？——只有使用正确的学习方法，才能达到事半功倍的效果。

（3）字形辨认练习

教师用卡片或 PPT 展示，请学生快速辨认并读出，最后给每个字组词。

规—则　　惜—错　　全—公

量—章　　勺—句　　详—样

于—干　　直—真　　达—过

（4）重点生词扩展及常用搭配

全部—全部工资—全部奖金都给她—全部经验—经验不是全部都是对的。

也许—也许来 / 去—也许能找到方法—也许这样能找到解决问题的方法。

保护—保护孩子/衣服颜色—有保护衣服颜色的作用—听说盐有保护衣服颜色的作用。

无法—无法明白 / 学习—无法学到知识—生活中有不少课本上无法学到的知识。

节—一 / 这 / 那节课—现在上第一节课—听完您的这节课，我终于明白了。

解释—解释问题—解释得很清楚—把问题解释得很清楚—老师能用最简单的方法把复杂的问题解释清楚。

使用—使用方法 / 语言—药的使用方法—人们都会使用语言。

引起—引起注意 / 误会—引起别人的注意 / 误会—直接说别人的缺点，会引起别人的误会。

节约—很 / 比较 / 非常节约—节约了很多时间—这种方法为我们节约了很多时间。

仔细—很 / 比较 / 非常仔细—仔细考虑—仔细考虑她的意见—请仔细考虑一下我们的意见。

3 语言点

（1）并且

① 语言点解析

　　"并且"，连词，可用于连接并列的动词或形容词等，表示几个动作同时进行或几种性质同时存在，也可以连接句子，表示更近一层的意思。

② 语言点导入

- 利用图片，提问导入。

　　教师向学生展示一个房间的照片。

　　教师：你觉得这个房间怎么样？

　　学生：这个房间什么家具都有，电视、空调、冰箱也都有，并且都很新。

- 创设情境，提问导入。

　　教师：经理为什么让马克负责这件事？

　　学生：马克做事认真，并且对人又热情，所以经理让他负责。

③ 语言点操练

　　利用热身1图片A、E、F，提问操练。

- 教师：她做菜时总是放很多盐，这样好不好？

　　学生：盐放多了，菜会不好吃，并且对身体也不好。

- 教师：这次会议的事情你们商量好了吗？

　　学生：我们商量好了开会的时间，并且决定了请高经理参加我们的会议。

- 教师：这个教室的条件怎么样？

　　学生：他们的教室很漂亮，并且每个学生都有一台电脑。

④ 语言点运用

　　请学生用"并且"把短句子组成长句子。

　　I.　A.特别漂亮　　　　B.开的花很大　　　　C.这种植物

　　II.　A.这房子家具全　　B.离地铁很近　　　　C.价格也不贵

　　III.A.能及时发现问题　B.找到解决问题的方法　C.常跟同事商量

　　参考答案：I.　C，B，并且A

　　　　　　　　II.　A，B，并且C

　　　　　　　　III.C，A，并且B

（2）再……也……

① 语言点解析

　　"再……也……"结构常用于表示让步的假设句，"再"后面可加动词、形容词、句子等，表示"即使、无论怎么"的意思。

② 语言点导入

　　联系生活实际，提问导入。

教师：那场比赛有你最喜欢的球星，门票 200 元你会去吗？

学生：会去。

教师：500 元呢？ 1000 元呢？

学生：会去。

教师总结：那场比赛门票再贵，他也会去。

③ 语言点操练

联系生活实际，提问操练。

- 教师：事情已经发生，不管你怎么后悔，事情会改变吗？

  学生：事情已经发生，再后悔也无法改变。

- 教师：你有一个理想，但是别人都反对你做这件事，你还会坚持下去吗？

  学生：不管别人再怎么反对，我也要坚持下去。

④ 语言点运用

请学生两人一组，根据提示用"再……也……"补全对话，并分角色朗读。

I. A：已经 8 点多了，他还在加班，你先吃吧，别等了。

　　B：＿＿＿＿＿＿＿＿＿＿＿＿＿＿＿＿＿＿＿＿＿＿。

II. A：在这件事上，爸爸一直不理解我，我以后不跟他说话了。

　　B：＿＿＿＿＿＿＿＿＿＿＿＿＿＿＿＿＿＿＿＿＿＿。

III. A：师傅，请您开快点儿，时间快来不及了。

　　B：＿＿＿＿＿＿＿＿＿＿＿＿＿＿＿＿＿＿＿＿＿＿。

参考答案：I. 没事，时间再晚，我也等他

　　　　　II. 这样可不好，他再怎么不理解你，你也不能不跟他说话

　　　　　III. 现在是上班时间，路上车比较多，再着急也没用

（3）对于

① 语言点解析

"对于"，介词，表示某种态度或情况所涉及的对象。

② 语言点导入

联系生活实际，提问导入。

- 教师：对于学生来说，什么是最难的？

  学生：对于学生来说，按时来上课是最难的。（有意开玩笑，活跃气氛）

- 教师：对于相同的一件事，每个人的看法相同吗？

  学生：对于相同的一件事，每个人都可能有不同的看法。

③ 语言点操练

联系生活实际，提问操练。

- 教师：对于中国人来说，什么节日最重要？对于你们国家的人呢？

  学生：对于中国人来说，春节是最重要的节日。对于我们国家的人来说，……

- 教师：对于这个失败的结果，你有什么想法？

  学生：对于这个结果，我觉得没什么，做事情的过程能给我带来很多快乐，比结果更重要。

④ 语言点运用

请学生三人一组，用"对于"说一说自己更适合去哪个商场。

商场 A：衣服又好又多、价格高、离学校比较远

商场 B：衣服一般、价格便宜、在学校附近

参考答案：对于……来说，去……更合适，因为……

⑤ 比一比：对于—关于

按照教材中的辨析步骤进行。

（4）名量词重叠

① 语言点解析

　　名量词重叠，常用"AA"格式，表示"每"的意思，重叠后可做主语、主语的定语和状语，但不可做宾语和宾语的定语。

② 语言点导入

联系生活实际或创设情境，进行导入。

- 教师：我会用电脑，他会用电脑，我们每个人都会用电脑，所以……

  学生：我们人人都会用电脑。

- 教师：那个作家写的这本小说很有名，那本小说也很有名，每本小说都很有名，所以……

  学生：那个作家写的小说本本都很有名，我们都非常喜欢看。

> 注意：名量词重叠形式不能做宾语。

③ 语言点操练

创设情境或联系生活实际，提问操练。

- 教师：丈夫上个月把工资交给妻子，这个月也是，下个月也是，每个月……

  学生：丈夫月月把工资交给妻子，妻子非常高兴。

- 教师：我们班每个同学都很聪明吗？每次考试都能通过吗？（活跃气氛）

  学生：我们班同学个个都很聪明，次次考试都能通过。

④ 语言点运用

请学生根据提示补全下面的句子，并朗读。

I. 她的性格活泼，脾气也很好，＿＿＿＿＿＿＿＿＿＿＿。（人人）

II. 只有把这件伤心事忘了，＿＿＿＿＿＿＿＿＿＿＿。（天天）

III. 我们特别喜欢去学校门口附近那个饭馆儿，＿＿＿＿＿＿＿＿＿
＿＿＿＿＿＿＿＿＿＿＿。（个个）

参考答案：I. 人人都喜欢她

II. 天天才能有好心情

III. 那里的菜个个都好吃

（5）相反

┌─────────┐
│ 连词用法 │
└─────────┘

① 语言点解析

"相反"，连词，用在后面句子的开头或中间，表示转折或递进的意思。

② 语言点导入

联系生词"事半功倍"的讲解，引导学生说句子。

教师：如果你的学习方法很好，那你会学得很快，这叫……

学生：事半功倍。

教师：如果你的学习方法不对呢？

学生：会事倍功半。

教师：如果你的学习方法很好，那么你会事半功倍，相反就会事倍功半。

③ 语言点操练

联系生活实际，提问操练。

教师：你喜欢在大城市生活，还是喜欢在小城市生活？

学生：我喜欢在小城市，大城市机会很多，但是压力大，相反，小城市的生活比较
轻松。

④ 语言点运用

请学生根据提示用"相反"补全下面的句子，并朗读。

I. 大家都猜今天他会迟到，_____。

II. 解决问题的方法不是越复杂越好，_____。

III. 他原来以为爸妈会理解自己，_____。

参考答案：I. 相反，他来得比谁都早

II. 相反，有时候越简单越好

III. 相反，他们都不同意他这么做

┌──────────┐
│ 形容词用法 │
└──────────┘

① 语言点解析

"相反"，形容词，表示事物的两个方面互相对立或排斥，可做谓语，也可修饰
名词。在修饰名词时，后面必须带"的"。

② 语言点导入

创设情境，进行导入。

• 教师：今天下雨了，马克认为还应该去锻炼，玛丽觉得应该在宿舍休息。

学生：他们的想法完全相反。

- 教师：马克打电话告诉玛丽，他可能会迟到 5 分钟，但是玛丽听错了……
  学生：玛丽听成相反的意思，以为他会提前 5 分钟。

③ 语言点操练

利用热身图片 D，提问操练。

- 教师：他告诉我 331 路公共汽车能到北京大学，但是为什么越坐越远呢？
  学生：因为你坐了相反方向的车。
- 教师：姐姐喜欢安静，喜欢一个人静静地坐着看书，弟弟呢？
  学生：弟弟的性格跟姐姐相反，他喜欢热闹，爱好运动。

④ 语言点运用

请学生根据提示说说它们相反的情况是什么。

提示内容：I. 心情：轻松

II. 做法：放弃

III. 意见：同意

IV. 结果：成功

参考答案：I. "轻松"相反的心情是"紧张"。

II. "放弃"相反的做法是"坚持"。

III."同意"相反的意见是"反对"。

IV."成功"相反的结果是"失败"。

4 课文

（1）就课文内容，教师将下列问题写在黑板上或用PPT展示（或教师给学生发放问题单）：

课文 1

"规定和经验是死的，人是活的"这句话是什么意思？

马经理认为自己过去的经验都对吗？

马经理认为跟同事商量有什么好处？

课文 2

女儿的新裤子洗完以后怎么了？

高老师有什么好办法解决女儿的问题？

除了可以吃，盐还有什么好作用？

课文 3

王教授的课上得怎么样？

王教授解释问题的方法有什么特点？

王教授认为什么是最难做到的？

<u>课文 4</u>

每个人都能把话说好吗？为什么？

直接告诉别人他的缺点，可能会有什么结果？

有什么更好的方法告诉别人缺点呢？

<u>课文 5</u>

做事情都应该注意什么？

正确的方法有什么作用？

应该怎么看别人的意见？

（2）要求学生带着问题听两遍录音并回答问题，教师给出答案；

（3）学生打开课本，教师逐句播放录音，学生看课本听第二次录音并跟读；

（4）教师领读一遍课文；

（5）全班一起大声齐读一遍课文；

（6）请 2～3 组学生分角色朗读课文，教师正音；

（7）做以下课文扩展练习：

对话课文：教师带领学生根据问题单上问题的答案叙述课文内容，并请学生单个复述。

<u>课文 1</u>

规定和经验是死的，人是活的。当"规定"和"经验"不能解决问题时，应该改变自己的想法。遇到问题跟同事商量，能及时发现问题，并且找到解决问题的方法。

<u>课文 2</u>

高老师的女儿刚买的裤子洗完以后颜色很难看，高老师说用盐水洗新衣服，衣服穿得再久、洗的次数再多，也不容易掉色。盐有保护衣服颜色的作用。

<u>课文 3</u>

王教授的课非常受学生欢迎，他能用最简单的方法把复杂的问题解释清楚。王教授认为在教育学生时，要根据学生的特点，选择不同的方法。

短文课文：请学生根据课文内容，补全下面的语段，并请学生单个复述朗读。

<u>课文 4</u>

人人都会……（使用语言），但把话说好是……（一门艺术）。直接说别人的缺点，会引起……（别人的误会）。如果通过别的方法来提醒，让他认识到自己的缺点，会让人……（觉得更友好）。

<u>课文 5</u>

无论做什么事情，都要……（注意方法）。正确的方法能……（节约时间），用……（较少的力气），取得更好的效果，这样就是……（事半功倍），相反，会事倍功半。在听别人意见的同时，要……（仔细考虑）一下，根据不同的情况选择不同的方法。

5 扩展

（1）领读"信用卡、作用、使用"三个同字词，请学生说一说"用"字在词中的位置和意义。"用"的义项：

> 使用：使用、信用卡、作用

（2）请学生说说还有哪些带"用"字的词，教师列在黑板上，如果没有，可补充下列真假同字词，最后请学生判断正误，教师给出正确答案。

> 用力　　用心　　用法　　　　用答（×）
>
> 信用　　留用　　完用（×）　　采用

（3）请学生完成"选词填空"练习，教师给出答案。

> 参考答案：①作用　②信用卡　③使用

6 补充课堂活动

> "世界上没有完全相同的叶子"这句话在教育学生时，可以解释成"应该根据学生的特点选择不同的方法"。教师利用这一对话内容，引导学生思考在交朋友、考虑问题的方法、人的性格、看待人的优缺点等方面，更好地理解这句话，并鼓励学生进行表达。

7 文化

> 教师引导学生了解孔子的教育思想"因材施教"，可根据需求和时间安排，进行以下参考活动：

- 展示图片，介绍孔子、子路、冉有三个人物；
- 根据孔子"因材施教"的故事内容提问：

> 子路和冉有问了孔子一个什么问题？
>
> 孔子怎么回答子路的？
>
> 孔子怎么回答冉有的？
>
> 这个故事告诉我们什么道理？

- 请学生 3 人一组表演这个故事。

8 布置作业

- 每个生词写 3 遍；
- 准备一个生活中"因材施教"的小故事，大约 3 分钟。

13 喝着茶看京剧

一、教学内容和教学目标

主题	中国传统文化 （1）对话：爱好京剧、学唱京剧、举办文化活动 （2）短文：筷子、茶
语言点	学生能够了解并掌握： （1）"大概"表示推测；也表示不太准确，不太详细 　　　*辨析"大概"和"也许"的异同 （2）"偶尔"表示情况发生的次数非常少 （3）"由"引出负责做某事的人 （4）"进行"表示从事某种活动、工作等 （5）"随着"表示一件事情是另一件事情发生的条件
词汇	学生能够： （1）掌握本课 32 个四级大纲词汇的意义和用法 　　　重点词语：演出、来自、遍、基础、正常、继续、大约、错 　　　　　　　误、部分、稍微 （2）理解"量"字的组词规律及在词汇中的意义

二、教学步骤

━ 复习旧课

1 使用生词卡片，快速认读下列词语：

全部、也许、保护、无法、节、
解释、使用、引起、节约、仔细

2 快速回答问题（与第 12 课或学生实际生活有关的问题）：

（1）为了不让新衣服以后掉色，你们有什么好经验？
（2）对于老师来说，应该怎么教育学生呢？
（3）对于学生来说，学习方法重要不重要？为什么？

3 检查作业：

请 3～5 名学生给全班同学讲"因材施教"的小故事。

■ 学习新课

1 热身

热身1：学生两人一组，合作完成；教师指出图片，请学生根据图片说出对应的词语，教师核对答案；教师领读热身1的生词；最后全体学生齐读，教师正音。

答案：①F ②C ③E ④D ⑤A ⑥B

热身2：教师带领学生了解表格的内容；请学生两人一组，互相提问调查，完成表格；请2～3名学生汇报调查结果。

2 生词

（1）生词快速认读及正音

课文1（对话）：京剧、演员、观众、厚、演出、大概

课文2（对话）：来自、遍、偶尔、吃惊、基础、表演

课文3（对话）：正常、申请、有趣、开心、继续、由、讨论

课文4（短文）：大约、餐厅、纸袋、袋（子）、互联网、进行、错误

课文5（短文）：随着、十分、普遍、部分、稍微、苦、省

- 教师用PPT或卡片展示并领读生词（带拼音）；
- 取消拼音，带领学生再次认读；
- 逐词（不带拼音）闪现，请学生快速认读生词；
- 请3～5个学生快速随机认读3～5个生词；
- 最后全体学生快速齐读所有生词。

（2）生词讲解方式

直观法 （图片、实物、符号、视频）	图片类：观众（热身图片E）、吃惊（热身图片F）、开心（热身图片C）、讨论（热身图片D）、餐厅（热身图片A）、互联网（热身图片B）、厚（词典） 实物类：纸袋、袋（子）、省（中国地图） 符号类：错误（×）、部分（画一个圆，并在圆中划出一部分） 视频类：京剧、演员、演出、表演（4个词使用简短的京剧表演视频说明）
对比法（反义词对比）	苦（甜）
替换法（同/近义替换）	偶尔（有时候）、有趣（有意思）、大约（差不多）、十分（非常、特别）、稍微（一点儿）
提问启发	来自、遍、基础、正常、申请、继续、普遍 教师提问，引导学生说出句子： 你是哪国人？——我来自…… 如果你没听清楚，你会让老师做什么？——请老师再说一遍。

（续表）

提问启发	有的同学来中国学习以前，在他们国家学习过汉语，所以……——他们有汉语基础。 没学汉语时和中国人没办法交流，现在可以吗？——现在可以正常交流。 如果你想去别的大学学习，应该怎么做？——应该向那个大学申请。 学习了 1 个小时很累，现在休息 10 分钟，然后再……——然后再继续学习。 中国人都有喝茶的生活习惯吗？——在中国喝茶是非常普遍的生活习惯。

（3）字形辨认练习

教师用卡片或 PPT 展示，请学生快速辨认并读出，最后给每个字组词。

剧—刷　　观—戏—欢　　遍—篇

偶—遇　　尔—你　　　　申—中

续—读　　讨—对　　　　联—聪

（4）重点生词扩展及常用搭配

演出——他的演出——上台演出——这次演出很精彩——他 8 岁就开始上台演出。

来自——来自美国——来自法国的留学生——他是一个来自英国的留学生。

遍——一 / 两 / 三遍 / 读 / 听 / 唱 / 写 / 想一遍——一遍一遍地——跟着电视，一遍一遍地练习。

基础——基础很好——汉语基础——有一些音乐基础——我以前学过音乐，有一些音乐基础。

正常——正常情况 / 交流——和中国人正常交流——汉语不好会影响和中国人的正常交流。

继续——继续读 / 写——10 分钟后继续学习——这次活动你们继续负责。

大约——大约 3000 多年——大约有 3000 多年的历史——筷子在中国大约已经有 3000 多年的历史了。

错误——错误的方法——这个方法是错误的——他使用筷子的方法是错误的。

部分——一 / 大部分——生活中的一部分——生活中不可缺少的一部分——喝茶已成为他们生活中不可缺少的一部分。

稍微——稍微想想——稍微慢一点儿——稍微有点儿苦——茶的味道稍微有点儿苦。

3 语言点

（1）**大概**

┌────────┐
│ 副词用法 │
└────────┘

① 语言点解析

“大概”，副词，表示对数量、时间不太精确的估计，也表示对情况的推测，有很大的可能性。

② 语言点导入

利用图片，提问导入。

教师向学生展示图片：一位老人在画京剧的脸谱。

- 教师：你们猜这位老人是做什么工作的？

  学生：这位老人大概是一个京剧演员。

- 教师：你们猜这位京剧演员多大年纪了？

  学生：这位演员大概 70 岁了。

③ 语言点操练

- 利用导入环节的图片，提问操练。

  教师：他大概唱了多少年京剧了？

  学生：他大概唱了 50 年京剧了。

- 利用热身图片 F，提问操练。

  教师：这个小男孩，为什么突然这么吃惊呢？

  学生：这个小男孩大概看到一只动物突然向他跑过来。

形容词用法

① 语言点解析

"大概"，形容词，表示不很准确或者不详细。

② 语言点导入

联系学生实际，提问导入。

- 教师：现在你们跟中国人聊天，他们说的话你们都能听懂吗？

  学生：现在我跟中国人聊天，已经能听懂大概的意思了。

- 教师：你认为预习好不好？有什么效果？

  学生：学习新课以前预习能对要学的内容有大概的了解。

③ 语言点操练

联系生活实际，提问操练。

- 教师：对于周末的活动，你们有什么好主意？

  学生：我们现在还没想好，只有一个大概的想法。

- 教师：那个电影的结果和你猜的一样吗？

  学生：那个电影的大概内容跟我想的差不多。

④ 语言点运用

请学生选择"大概"在句子中恰当的位置。

I. 这个任务 A 按原来的计划 B 需要两个星期，但是 C 我们可以提前 D 完成。

II. 我们学校有多少 A 研究生我 B 不太清楚，C 数字可能是 D 四五千吧。

III. A 通过一个地方的收入 B 水平，就能判断当地 C 的经济水平 D。

IV. 关于下个月 A 的活动我们还没 B 商量好，C 邀请 30 人 D 参加。

参考答案：I. B　II. C　III. C　IV. C

⑤ 比一比：大概—也许

按照教材中的辨析步骤进行。

（2）偶尔

① 语言点解析

"偶尔"，副词，表示情况发生的次数非常少。

② 语言点导入

- 利用热身1图片E，提问导入。

教师：他们正在看中文电影，你经常看中文电影吗？

学生：我只是偶尔看中文电影。

- 创设情境，进行导入。

教师：妻子和丈夫平时上班都非常忙，他们没时间天天在家做饭，所以……

学生：他们平时上班都非常忙，所以一般在饭馆儿吃，偶尔在家做做饭。

③ 语言点操练

联系生活实际，提问操练。

- 教师：你们周末常常做什么？

学生：我们周末一般在家复习，或者去体育馆运动，偶尔找朋友聊聊天儿。

- 教师：你们国家的人，在公司工作经常加班吗？

学生：他们工作不太辛苦，偶尔会加班。

④ 语言点运用

请学生根据提示用"经常、一般、从来、偶尔、很少"描述下面几种情况。

提示内容：I. 10个周末中8个周末回家看爸妈。

II. 3个月中有2天去爬山。

III. 每天都按时到教室。

IV. 1个月中20天去食堂吃饭，5天去饭馆儿，5天自己做饭。

参考答案：I. 我周末经常/一般回家看爸妈。

II. 我偶尔/很少去爬山。

III. 我从来不迟到。

IV. 我经常/一般去食堂吃饭，偶尔去饭馆儿，偶尔自己做饭。

（3）由

① 语言点解析

"由"，介词，引出负责做某事的人。

② 语言点导入

联系学生实际，提问导入。

- 教师：如果我们班要举办一个文化活动，谁来负责比较合适？

学生：如果我们班要举办活动，当然是由班长负责。

- 教师：我们班有几门课，你们老师是谁啊？

  学生：我们班有……门课，其中，……课由……负责。

③ 语言点操练

　联系实际，提问操练。

- 教师："幽默"来自英语的"humor"，这个词你知道是谁翻译的吗？林语堂。

  学生："幽默"这个词是由林语堂翻译过来的。

- 教师：你的父母会让你按照他们的想法选择大学和专业吗？

  学生：选什么样的大学和专业由我自己决定。

④ 语言点运用

　请学生 3 ～ 5 人一组根据情境完成任务，并向同学汇报。

　　"2000 级汉语学习班"的同学已经毕业十几年了，今年大家计划安排一次毕业聚会。为了举行这次聚会，需要完成下面几个任务。说说自己可以负责什么任务，并说明原因。

提示内容：I. 通知老师和同学聚会的时间和地点

　　　　　II. 预定（yùdìng，reserve）饭店

　　　　　III. 购买啤酒、葡萄酒、饮料

　　　　　IV. 安排房间

　　　　　V. 去机场接人

参考答案：安排聚会地点由……来负责，因为……

（4）进行

① 语言点解析

　　"进行"，动词，表示从事某种活动、工作等。多用在双音节动词前边，后边的动词表示的一定是比较正式、严肃的行为，暂时性的日常生活中的行为一般不用。

② 语言点导入

　利用热身 1 图片 D，联系对话 3 内容，提问导入。

- 教师：他们正在做什么？

  学生：他们正在对怎么举办中国传统文化节活动进行讨论。

- 教师：举办中国传统文化节活动，对留学生有什么好处？

  学生：在中国传统文化节上，留学生们能进行交流，了解各国的文化。

③ 语言点操练

　联系生活实际，提问操练。

- 教师：不是所有中国人都能正确使用筷子，大概有多少人不会呢？

  学生：对这个问题，我们需要进行调查。

- 教师：刚才我们开了一个半小时的会，现在休息半个小时，……

  学生：大家 10：00 准时回来，会议继续进行。

④ 语言点运用

　请学生根据提示补全下面的句子，然后朗读，并说明某个词不能用的原因。

> I. 吃
> II. 讨论
> III. 交流
> IV. 散步
> V. 跑
> VI. 商量
> VII. 研究

他们正在进行……

参考答案：II、III、VII 能搭配

（5）随着

① 语言点解析

　　"随着"，介词，表示一件事情是另一件事情发生的条件，后面一般是带修饰语的双音节动词。

② 语言点导入

联系生活实际，提问导入。

教师：以前你跟中国人交流时有问题吗？

学生：以前我跟中国人交流时经常有问题，很多话听不懂。

教师：你的汉语水平慢慢提高了，现在问题还大吗？

学生：随着我的汉语水平的提高，现在问题不大了。

③ 语言点操练

联系生活实际，引导操练。

- 教师：中国的经济发展了，学习汉语的人越来越多了。

　　学生：随着中国经济的发展，学习汉语的人也越来越多了。

- 教师：最开始人们觉得茶是药，后来越来越了解茶，现在茶成了饮料。

　　学生：随着人们对茶认识的加深，茶慢慢变成了一种饮料。

④ 语言点运用

　　请学生 3 人一组，根据热身 1 图片 B 谈谈互联网给我们生活带来的变化，并请每组派代表总结。

4 课文

（1）就课文内容，教师将下列问题写在黑板上或用PPT展示（或教师给学生发放问题单）：

课文 1

小夏的爷爷京剧唱得怎么样？

小夏的爷爷是什么时候开始唱京剧的？唱了多长时间？

他爷爷喜欢京剧吗？

课文 2

马克是哪国人？

马克是怎么学习京剧的？

马克为什么能比较容易地学会京剧？

课文 3

如果留学生不了解中国文化，对他们有什么影响？

为了让留学生了解中国文化，李老师想怎么办？

为什么校长同意继续由李老师负责文化活动？

课文 4

国外的一些中国餐厅会怎么帮助人们使用筷子？

关于使用筷子的方法，是怎么调查的？

调查结果是什么？

课文 5

茶以前被当作什么？

后来为什么把茶当作解渴的饮料？

在中国，喝茶的人多吗？

（2）要求学生带着问题听两遍录音并回答问题，教师给出答案；

（3）学生打开课本，教师逐句播放录音，学生看课本听第二次录音并跟读；

（4）教师领读一遍课文；

（5）全班一起大声齐读一遍课文；

（6）请 2～3 组学生分角色朗读课文，教师正音；

（7）做以下课文扩展练习：

对话课文：教师带领学生根据问题单上问题的答案叙述课文内容，并请学生单个复述。

课文 1

小夏的爷爷是京剧演员，年轻时深受观众们的喜爱。他爷爷 8 岁就开始上台演出，大概唱了 60 多年，对京剧有很深厚的感情。

课文 2

马克来自美国，他常跟着电视学唱京剧，然后一遍一遍地练习，偶尔跟中国人唱上几句。他有一些音乐基础，对京剧这种表演艺术非常感兴趣，所以学得很快。

课文 3

留学生不了解中国文化，会影响他们与中国人的正常交流，甚至还可能引起误会，带来麻烦，所以李老师想申请举办一次文化活动。李老师上次办的春游活动很有趣，这次文化活动继续由他负责。

短文课文：请学生根据课文内容，补全下面的语段，并请学生单个复述朗读。

课文4

国外的一些……（中国餐厅）在放筷子的……（纸袋上）提供筷子的详细说明。有人在互联网上……（进行过调查），结果发现每六个中国人中就有一个使用筷子的方法……（是错误的）。

课文5

茶开始时被当作……（一种药），随着人们……（对茶的认识的加深），慢慢开始把它当作解渴的饮料。在中国，喝茶是一种……（十分普遍）的生活习惯，喝茶是很多中国人生活中……（不可缺少）的一部分。

5 扩展

（1）领读"商量、数量、质量"三个同字词，请学生说一说"量"字在词中的位置和意义。"量"的义项：

①估计：商量

②数量、数目：数量、质量

（2）请学生说说还有哪些带"量"字的词，教师列在黑板上，如果没有，可补充下列真假同字词，最后请学生判断正误，教师给出正确答案。

少量　　大量　　力量　　饭量

量词　　酒量　　量化　　睡量（×）

（3）请学生完成"选词填空"练习，教师给出答案。

参考答案：①数量　②质量　③商量

6 补充课堂活动

请学生4人一组互相介绍自己国家的某个传统文化，并与相关的中国文化对比，比如饮料、戏剧、餐具等方面，最后请每组派一个代表向全班同学介绍本组几个同学国家的传统文化。

7 文化

教师引导学生了解筷子的功能和使用筷子的礼节，可根据需求和时间安排，进行以下参考活动：

• 教师利用实物，演示筷子挑、拨、夹、拌、扒5种功能；
• 请学生逐个随机演示某种功能，另一个学生快速说出，依次进行；
• 教师演示或播放几种使用筷子的不礼貌行为，请学生说说这几种行为可不可以做，并说明原因。

8 布置作业

• 每个生词写3遍；
• 用本课所学的5个语言点分别造一个句子。

保护地球母亲

一、教学内容和教学目标

主题	环保 （1）对话：绿色出行、打扫卫生、"地球一小时" （2）短文：减少使用塑料袋、环保从小事做起
语言点	学生能够了解并掌握： （1）"够"表示数量上满足；也表示程度上达到了一定标准 （2）"以"表示凭借、目的 （3）"既然"表示根据前边的情况得出结论 （4）"于是"表示后面的事情紧随着前面的事情发生 　　＊辨析"于是"和"因此"的异同 （5）"什么的"表示还有与所举例子类似的情况
词汇	学生能够： （1）掌握本课32个四级大纲词汇的意义和用法 　　重点词语：出差、省、扔、得意、目的、鼓励、拒绝、减少、 　　　　　　　乘坐、美丽 （2）理解"度"字的组词规律及在词汇中的意义

二、教学步骤

一　复习旧课

1 使用生词卡片，快速认读下列词语：

演出、来自、遍、基础、正常、
继续、大约、错误、部分、稍微

2 快速回答问题（与第13课或学生实际生活有关的问题）：

（1）你身边的朋友喜欢听京剧吗？他们为什么喜欢或者不喜欢？
（2）中国人都会正确使用筷子吗？有多少中国人不会用呢？
（3）你喝过"凉茶"吗？"凉茶"是茶吗？为什么？

3 检查作业：

请5名学生每人用上节课所学语言点说一个句子。

二 学习新课

1 热身

　　热身 1：学生两人一组，合作完成；教师指出图片，请学生根据图片说出对应的词语，教师核对答案；教师领读热身 1 的生词；最后全体学生齐读，教师正音。

　　　　答案：①F　②E　③A　④D　⑤B　⑥C

　　热身 2：教师带领学生了解问卷的内容；请学生两人一组，互相提问调查，完成表格；请 2～3 名学生汇报调查结果。

2 生词

（1）生词快速认读及正音

　　　　课文 1（对话）：出差、毛巾、牙膏、重、行、省、污染

　　　　课文 2（对话）：卫生间、脏、抱歉、空、盒子、扔、以、速度

　　　　课文 3（对话）：地球、既然、停、得意、目的、暖

　　　　课文 4（短文）：塑料袋、于是、鼓励、拒绝、减少、数量

　　　　课文 5（短文）：温度、乘坐、丢、垃圾桶、美丽

- 教师用 PPT 或卡片展示并领读生词（带拼音）；
- 取消拼音，带领学生再次认读；
- 逐词（不带拼音）闪现，请学生快速认读生词；
- 请 3～5 个学生快速随机认读 3～5 个生词；
- 最后全体学生快速齐读所有生词。

（2）生词讲解方式

直观法（图片、实物）	图片类：污染（热身图片 B）、卫生间（卫生间）、脏（脏衣服）、速度（热身图片 D）、地球（热身图片 E）、塑料袋（热身图片 C）、温度（热身图片 F）、垃圾桶（热身图片 A）、丢（车上乘客丢垃圾） 实物类：毛巾、牙膏、盒子、空（一瓶新饮料，一个空瓶子）
情景法（肢体动作、语言等）	扔（扔粉笔）、停（走路，然后停在某学生身边）、数量、丢（丢空瓶子）
对比法（反义词对比）	暖（冷）、重（轻）、减少（增加）
替换法（同/近义替换）	行（好的）、省（节约）、抱歉（对不起）、美丽（美）
分解法（分解词义）	得意（感觉＋很满意）
提问启发	出差、拒绝、乘坐、目的、鼓励 教师提问，引导学生说出句子： 　　马克在北京工作，有时候他需要去外地完成工作，所以他……——马克有时候需要出差去外地工作。 　　我想帮助他，但他不接受我的帮助，他……——他拒绝了我的帮助。

（续表）

提问启发	为了保护环境，我们应该少开车多……——多骑车或乘坐地铁和公共汽车。 你们为什么学习汉语？——我学习汉语的目的是为了了解中国文化/…… 在孩子遇到困难想放弃时，父母应该怎么办呢？——父母应该多鼓励孩子。

（3）字形辨认练习

教师用卡片或PPT展示，请学生快速辨认并读出，最后给每个字组词。

巾—币　　膏—亮　　省—看

脏—肥　　扔—圾　　既—即

料—糖　　丢—去　　垃—拉

（4）重点生词扩展及常用搭配

出差—去出差—到外地出差—到上海出两天差—他下周准备到上海出两天差。

省—省油/钱/时间—每天坐地铁省钱—坐地铁去机场非常省钱。

扔—扔东西—扔掉—把垃圾扔掉。

得意—很/非常得意—别得意了—得意的样子—看你得意的样子！

目的—他的目的—简单的目的—其实他的目的挺简单的。

鼓励—鼓励学生—鼓励大家好好学习—国家鼓励大家使用购物袋。

拒绝—拒绝他—拒绝他的帮助—拒绝使用塑料袋。

减少—减少污染—减少使用—减少使用塑料袋—减少使用塑料袋，可以保护环境。

乘坐—乘坐飞机—乘坐地铁或公共汽车—多乘坐地铁或公共汽车，能降低空气污染。

美丽—变得更美丽—保护环境，使我们的家变得更美丽。

3 语言点

（1）**够**

┌──────────┐
│ 动词用法 │
└──────────┘

① 语言点解析

"够"，动词，表示数量上能满足。

② 语言点导入

联系生活实际，提问导入。

- 教师：如果想保证身体健康，每天睡几个小时比较合适？

  学生：一般应该睡够八个小时。

- 教师：这件衣服1000块，但是你只有800块，你能买这件衣服吗？

  学生：我的钱不太够，买不了这件衣服。

③ 语言点操练

创设情境，引导操练。

- 教师：根据时间安排，你今天就应该把调查材料交给我。

  学生：真不好意思，本来应该今天给你的，后来发现时间不够，还没做完呢。

- 教师：快别玩儿了！咱们得回家吃饭了。

  学生：别着急啊，我还没玩儿够呢。

副词用法

① 语言点解析

　　"够"，副词，表示程度上达到了一定标准。"够+形容词"用于肯定句时，形容词后常加"的"。

② 语言点导入

利用热身1图片F，提问导入。

- 教师：海边的温度高吗？

  学生：够高的。

- 教师：你觉得热不热？

  学生：真够热的。

③ 语言点操练

- 利用热身1图片B、D、E，请学生描述图片进行操练。

  图片B目标句：这里的污染够严重的！

  图片D目标句：他们开车的速度够快的！

  图片E目标句：地球真够漂亮的！

④ 语言点运用

请学生两人一组，根据提示用"够"补全对话，并分角色表演。

A：_____！

B：我也没什么特别的学习方法，就是每天都复习一遍。

A：可是我也复习啊，我每天睡觉前都复习5分钟。

B：才5分钟啊，_____。

参考答案：这次考试你考得真够好的

　　　　　这么短的时间肯定不够

（2）以

动词用法

① 语言点解析

　　"以"，介词，表示凭借，有"用、拿"的意思，常用结构是"以……V"。其中，"以……为……"的意思是"把……作为……"或者"认为……是……"。

② 语言点导入

利用热身图片 D，提问导入。

教师：要想在赛车比赛中拿第一，应该怎么做？

学生：应该以最快的速度开车。

③ 语言点操练

创设情境或联系生活实际，提问操练。

- 教师：这个工作你们多长时间能完成？

  学生：我们一定以最快的速度完成。

- 教师：小孩子问父母问题，父母怎么回答才能让孩子容易明白呢？

  学生：父母应该以最简单的、最清楚的语言回答孩子的问题。

④ 语言点运用

请学生根据提示用"以"补全下面的句子，并朗读。

I. 为了不引起他的误会，_____。

II. 虽然生活中可能会遇到各种困难，_____。

III._____，别人才能相信你的调查结果。

参考答案：I. 你要以最直接的方法告诉他那件事

　　　　　II. 但是我们一定要以积极的态度面对那些困难

　　　　　III.只有以准确的数字说明问题

连词用法

① 语言点解析

　　"以"还可做连词，表示目的，相当于"用来、为的是"。一般在后一分句的句首，主语必须相同。

② 语言点导入

联系生活实际，提问导入。

- 教师：中国人常常会请帮助了自己的人吃饭，为什么呢？

  学生：他们请人吃饭以表示感谢。

- 教师：新闻为什么经常使用数字？

  学生：新闻经常使用数字以说明复杂的问题。

③ 语言点操练

联系生活实际或创设情境，提问操练。

- 教师：为什么说朋友间应该多交流呢？

  学生：朋友们应该常常聊天以增加了解和感情。

- 教师：他为什么总喜欢跟中国人交流呢？

  学生：他经常找机会跟中国人交流，以提高口语水平。

④ 语言点运用

请学生用"以"说说下面几种情况的目的。

I. 他们每天坚持练习踢足球，＿＿＿＿＿＿＿＿＿＿＿＿＿＿＿。

II. 每年都举行"地球一小时"活动，＿＿＿＿＿＿＿＿＿＿＿＿＿＿＿。

III. 马克经常阅读中文杂志，＿＿＿＿＿＿＿＿＿＿＿＿＿＿＿。

参考答案：I. 以赢得比赛

II. 以引起大家对环境问题的关注

III. 以增加对中国的了解

（3）既然

① 语言点解析

　　"既然"，连词，用在复句的前一分句，意思是"因为事实已经是这样了"。后一分句常有"就、也、还"之类的词跟它配合使用，表示根据前边的情况得出结论。

② 语言点导入

利用热身图片 B，进行导入。

- 教师：现在环境污染问题很严重，我们应该……

  学生：既然污染很严重，我们每个人就都应该努力保护环境。

- 教师：既然大家都知道要努力保护环境，那我们应该怎么做呢？

  学生：既然要保护环境，那我们应该从身边的小事做起，不浪费水、电等。

③ 语言点操练

利用热身图片 A、C，进行操练。

- 图片 A 目标句：既然有垃圾桶，就应该把垃圾扔进垃圾桶里。
- 图片 C 目标句：既然塑料袋会污染环境，就应该减少对塑料袋的使用。

④ 语言点运用

请学生两人一组，根据课文 1 的内容和提示词，改编课文，并分角色表演。

A：虽然宾馆有毛巾、牙膏和牙刷，不过你还是带着吧。

B：＿＿＿＿＿＿＿＿＿＿＿＿＿＿＿。（既然，重）

A：你不是说要保护环境吗？现在就从身边的小事做起吧。你明天几点的飞机？

B：我明天上午 10 点的飞机，可能会堵车，你早点儿送我去机场吧。

A：＿＿＿＿＿＿＿＿＿＿＿＿＿＿＿。（既然，地铁）

参考答案：既然宾馆都有，就别带了，箱子已经够重了

既然会堵车，你就坐地铁去机场吧

（4）于是

① 语言点解析

　　"于是"，连词，用在复句的后一分句中，表示后面的事情紧随着前面的事情发生，一般有承接关系。

② 语言点导入

联系课文内容，提问导入。

- 教师：塑料袋会污染环境，很多国家的超市用什么方法减少污染？

  学生：塑料袋会污染环境，于是，很多超市不为顾客提供免费塑料袋了。

- 教师：由于天气原因，飞机无法按时起飞，马克只能怎么办呢？

  学生：由于天气原因，飞机无法按时起飞，于是，马克不得不改变计划，明天再走。

③ 语言点操练

联系课文 1 内容，提问操练。

- 教师：李进一开始想用宾馆提供的毛巾、牙膏和牙刷，后来为了保护环境，李进是
    怎么做的？

  学生：李进一开始想用宾馆提供的毛巾、牙膏和牙刷，为了保护环境，于是带了自
    己的毛巾、牙膏和牙刷。

- 教师：李进最后决定怎么去机场？

  学生：李进担心堵车，于是，他决定坐地铁去机场。

④ 语言点运用

请学生根据句子意思，连线组成 5 个完整的句子，并朗读。

I. 本来今天约好去打球，后来下雨了	A. 于是他准备得特别认真
II. 这次面试对他很重要	B. 于是向朋友借了 200 块
III. 经理看到卫生间很脏	C. 于是只好明天再去
IV. 公司参加"地球一小时"活动	D. 于是今天早早就下班了
V. 她带的现金不够了	E. 于是让服务员快点儿去打扫

参考答案：I. C II. A III. E IV. D V. B

⑤ 比一比：于是—因此

按照教材中的辨析步骤进行。

（5）什么的

① 语言点解析

"什么的"，助词，用在所举例子的后边，表示还有与所举例子类似的情况，常用于口语。"什么的"可以跟"比如、例如、像"一起搭配使用，常用格式为"比如 / 例如 / 像……什么的"。

② 语言点导入

联系生活实际，提问导入。

- 教师：你有什么兴趣爱好？

  学生：我的爱好很多，比如游泳、跳舞、画画儿什么的。

- 教师：为了保护环境，我们可以做哪些小事呢？

  学生：为了保护环境，我们可以不用塑料袋、不浪费水、少开车什么的。

③ 语言点操练

创设情境或联系学生实际，提问操练。

- 教师：你去超市买什么了？

  学生：我去超市买了饼干、面包什么的。

- 教师：怎么才能提高汉语听力、口语能力呢？

  学生：你可以试试多听汉语新闻、看汉语电影、交中国朋友什么的。

④ 语言点运用

请学生两人一组，根据提示用"什么的"补全对话，并分角色表演。

I. A：我不太喜欢新闻专业，你给我点儿建议吧。

   B：_____。

II. A：你每个周末都做什么啊？

    B：_____。

III. A：您好，我想买水果、毛巾、牙膏和牙刷。这些东西放在哪儿？

     B：_____。

参考答案：I. 你可以考虑一下中文、国际关系什么的

　　　　　II. 做饭、复习、逛公园什么的

　　　　　III. 水果在左边，毛巾、牙膏和牙刷什么的都在右边

4 课文

（1）就课文内容，教师将下列问题写在黑板上或用PPT展示（或教师给学生发放问题单）：

课文 1

李进明天出差，王静给李进准备好了什么？

明天李进怎么去机场？为什么？

保护环境应该怎么做？

课文 2

卫生间干净吗？为什么？

经理让服务员扔掉什么？

服务员会怎么打扫餐厅？

课文 3

新闻说明天会有什么活动？

关于这个活动，她们的公司会做什么？

这个活动的目的是什么？

课文 4

使用塑料袋会带来什么结果？

一些国家鼓励大家做什么？

减少使用塑料袋能不能保护环境？

课文 5

保护地球环境离我们每个人远吗？

做哪些小事可以保护地球环境？

怎么才能使我们的家变得更美丽？

（2）要求学生带着问题，听两遍录音并回答问题，教师给出答案；

（3）学生打开课本，教师逐句播放录音，学生看课本听第二次录音并跟读；

（4）教师领读一遍课文；

（5）全班一起大声齐读一遍课文；

（6）请 2～3 组学生分角色朗读课文，教师正音；

（7）做以下课文扩展练习：

对话课文：教师带领学生根据问题单上问题的答案叙述课文内容，并请学生单个复述。

课文 1

李进明天要出差，王静给他准备好了毛巾、牙膏和牙刷什么的。为了保护环境，明天李进坐地铁去机场，这样不仅省油省钱，还不会污染空气。

课文 2

卫生间很脏，服务员还没来得及打扫。经理让服务员扔掉空饮料瓶子和纸盒子。服务员让经理放心，她会以最快的速度完成。

课文 3

明天有一个叫"地球一小时"的活动，所以明天晚上公司会关灯停电，不用加班了。这个活动的目的很简单，就是提醒人们节约用电，引起人们对气候变暖问题的关注。

短文课文：请学生根据课文内容，补全下面的语段，并请学生单个复述朗读。

课文 4

塑料袋给人们带来方便，也带来了严重的……（环境污染问题）。于是，一些国家鼓励大家购买能……（多次使用）的购物袋。为了保护环境，希望大家拒绝……（使用塑料袋）。减少塑料袋的……（使用数量），对环境保护有很大的作用。

课文 5

为了保护地球环境，我们应该注意……（身边的小事）。例如，夏天把……（空调温度）开得高一些，多乘坐地铁和公共汽车，养成把垃圾……（丢进垃圾桶）的习惯什么的。只有大家……（共同努力），减少污染、保护环境，才能使我们的家……（变得更美丽）。

5 扩展

（1）领读"速度、温度、态度"三个同字词，请学生说一说"度"字在词中的位置和意义。"度"的义项：

① 物质的有关性质：速度、温度

② 人的气质或姿态：态度

（2）请学生完成"选词填空"练习，教师给出正确答案。

参考答案：①温度　②速度　③态度

（3）教师在黑板上列出以下词语，请学生猜词义，教师给出简单的例句进行解释。

度假：春节我们全家去海边度假。（过，指时间）

度数：因为我经常玩手机、玩电脑，今年眼镜的度数又高了不少。（计量单位）

高度：这个楼的高度跟那个楼一样，有 30 米。

过度：他最近常常加班，用脑过度，把自己累病了，这周不得不请假休息。（限度）

6 补充课堂活动

学生 4 人一组，交流自己国家或者身边的保护环境的规定、方法，然后把这些规定、方法总结一下，最后每组派一个代表向全班同学介绍。

7 文化

教师引导学生了解"天人合一"的思想，可根据需求和时间安排，进行以下参考活动：

• 展示两组图片，一组 3 张人与自然和谐相处的图片，一组 3 张环境污染、资源过度开发的图片。教师引导学生理解"天人合一"的思想；

• 请学生说说自己国家的语言怎么表达"天人合一"这种思想；

• 请 3～5 个学生谈谈怎么才能做到"天人合一"。

8 布置作业

• 每个生词写 3 遍；

• 简单介绍一下"地球一小时"活动，大约 3 分钟。

15 教育孩子的艺术

一、教学内容和教学目标

主题	教育孩子 （1）对话：培养好习惯、学会安排时间、表扬的方法 （2）短文：孩子的行为、孩子的性格
语言点	学生能够了解并掌握： （1）"想起来"表示从记忆中寻找出以前的人或事 （2）"弄"表示"做"的意思，可以代表其他一些动词的意义 （3）"千万"表示要求别人一定怎么做 *辨析"千万"和"一定"的异同 （4）"来"表示要做某事 （5）"左右"表示比某一数量稍多或者稍少

词汇	学生能够：
	（1）掌握本课 30 个四级大纲词汇的意义和用法
	    重点词语：赶、批评、管理、表扬、怀疑、故意、整理、合
	              适、骄傲、害羞
	（2）了解 1 个非大纲词汇的意义：闹钟
	（3）理解"护"字的组词规律及在词汇中的意义

二、教学步骤

■ 复习旧课

1 **使用生词卡片，快速认读下列词语：**

出差、省、扔、得意、目的、
鼓励、拒绝、减少、乘坐、美丽

2 **快速回答问题（与第 14 课或学生实际生活有关的问题）：**

（1）使用塑料袋会带来什么结果？
（2）做哪些小事可以保护地球环境？
（3）怎么才能使我们的家变得更美丽？

3 **检查作业：**

请 3 个学生简单介绍一下"地球一小时"活动。

二 学习新课

1 热身

热身 1：学生两人一组，合作完成；教师指出图片，请学生根据图片说出对应的词语，教师核对答案；教师领读热身 1 的生词；最后全体学生齐读，教师正音。

答案：①C　②B　③E　④A　⑤F　⑥D

热身 2：请学生看 1 分钟图片，然后说说图片里孩子们在做什么；最后请学生谈谈如果他们是老师，会怎么解决这个问题，并说明原因。

2 生词

（1）生词快速认读及正音

课文 1（对话）：弹钢琴、棒、孙子、寒假、父亲

课文 2（对话）：*闹钟、响、醒、赶、厕所、批评、弄、管理

课文 3（对话）：打针、护士、表扬、千万、怀疑

课文 4（短文）：故意、敲、整理、合适、骗、儿童、假

课文 5（短文）：左右、懒、笨、粗心、骄傲、害羞

- 教师用 PPT 或卡片展示并领读生词（带拼音）；
- 取消拼音，带领学生再次认读；
- 逐词（不带拼音）闪现，请学生快速认读生词；
- 请 3～5 个学生快速随机认读 3～5 个生词；
- 最后全体学生快速齐读所有生词。

（2）生词讲解方式

直观法（图片、音频）	图片类：弹钢琴（热身图片 D）、闹钟（热身图片 A）、赶（时间）（热身图片 C）、打针（热身图片 E）、护士（护士给病人输液）、敲（热身图片 F）、儿童（热身图片 B）、害羞（热身图片 B） 音频类：响（手机响的声音）
情景法 （肢体动作、语言等）	棒（竖起大拇指）、醒（表演由睡转醒）、整理（整理桌子）、合适（指着自己的衣服，并配合问题：我的衣服大吗？）
列举法（同类词列举）	孙子（爷爷、爸爸、儿子、孙子）
替换法（同/近义替换）	父亲（爸爸）、左右（大概、差不多）、厕所（卫生间）
对比法（反义词对比）	懒（努力）、笨（聪明）、假（真）、粗心（仔细）
提问启发	寒假、批评、表扬、管理、怀疑、骗、骄傲、故意 教师提问，引导学生说出句子： 　　冬天我们考完试会放假，放什么假？——放寒假。 　　如果你做了错事，老师会做什么？——老师会批评我。 　　如果做了好事呢？——老师会表扬我。

（续表）

提问启发	在公司经理负责做什么？——负责管理公司。 他说的话，我猜可能不是真的。——我怀疑他说的话。 他昨天没来上课，他说他病了，其实他去玩了。——他骗人。 他觉得自己什么都比别人好。——他很骄傲。 大家没注意到马克进教室，为了让大家知道自己来了，所以他……——他故意大声说话，引起大家的注意。

（3）字形辨认练习

教师用卡片或 PPT 展示，请学生快速辨认并读出，最后给每个字组词。

钢—银—针　　孙—孩　　闹—问

赶—起　　　　扬—场　　怀—坏

骗—遍　　　　童—章　　羞—着

（4）重点生词扩展及常用搭配

赶—赶时间—很 / 比较 / 非常赶时间—我早上赶时间送孩子上学。

批评—批评孩子—别批评他了—每天因为一些小事批评孩子。

管理—管理公司—管理时间—学会管理时间—你应该让孩子学会管理时间。

表扬—表扬学生—用表扬的方法—表扬这种方法对小孩儿挺有用。

怀疑—怀疑他—怀疑他的话—怀疑自己的能力—别让孩子怀疑自己的能力。

故意—故意迟到—他是故意的—他故意告诉我—有的孩子会通过故意敲打来引起父母的注意。

整理—整理东西 / 衣服 / 房间—整理整理东西—父母应该陪孩子整理整理东西。

合适—很 / 比较 / 非常合适—合适的衣服—用合适的方法—教育孩子应该选择合适的教育方法。

骄傲—很 / 比较 / 非常骄傲—骄傲地说话—他总是非常骄傲。

害羞—很 / 比较 / 非常害羞—害羞得脸都红了—要是孩子性格很害羞，就应该多鼓励他。

3 语言点

（1）想起来

① 语言点解析

"起来"，动词，如果用在动词"想"后，引申表示从记忆中寻找出以前的人或事。（"起来"可用在动词后面做趋向补语或可能补语，表示动作的方向从下到上。这个用法已经学过，本课只用作复习和"以旧导新"，导出新用法。）

② 语言点导入

联系课堂情境，进行导入。

教师对一个学生说："请你站起来。"然后问其他学生：

- 教师：老师让他 / 她做什么？

  学生：老师让他 / 她站起来。

- 教师：他 / 她叫什么名字？我突然忘了。

  学生：他 / 她的名字老师想不起来了。

- 教师：让我想想……我想起来了，他 / 她叫……

  学生：他 / 她的名字老师想起来了。

③ 语言点操练

联系课堂和生活实际，提问操练。

- 教师：第 11 课课文的名字是什么？谁能想起来？

  学生：我想起来了，第 11 课课文的名字叫"读书好，读好书，好读书"。

- 教师：你们记得昨天谁没来上课吗？

  学生：我想起来了，……没来。

- 教师：小时候你妈妈给你讲的第一个故事是什么？

  学生：我们想不起来小时候妈妈给我讲的第一个故事了。

④ 语言点运用

请学生两人一组，根据提示用"想（不）起来"补全对话，并分角色表演。

I. A：谁记得我们上课的第一天是几月几号？

   B：_____。

II. A："概"这个汉字怎么读？

   B：_____。

III. A：_____？

   B：刚才你去体育馆找我的时候，我记得你好像在那儿拿出过钥匙来。

参考答案：I. 我们都想不起来上课的第一天是几月几号了

   II. 我想起来了，这个汉字读 gài

   III. 我想不起来钥匙放哪儿了，你看见了吗

（2）弄

① 语言点解析

"弄"，动词，表示"做"的意思，可以代表其他一些动词的意义，常用在口语中。

② 语言点导入

利用替换练习，进行导入。

板书：马克已经把书（　　）好了。

> 请学生用合适的动词填空，学生可能填"买、写、借、放"等，教师把这些动词在黑板上列出，最后标出"弄"替换掉以上动词。

板书：今天你是走路来学校的，你的自行车还没弄好吗？

> 请学生猜一猜"弄"代表的动词，教师给出答案"修理"或"准备"。

③ 语言点操练

创设情境或联系生活实际，提问操练。

- 教师：这个电脑怎么坏了？

 学生：马克刚用完电脑，应该是马克把电脑弄坏了。

- 教师：这个窗户怎么打也打不开，谁来帮帮我的忙？

 学生：我帮老师把窗户弄开。

④ 语言点运用

请学生用合适的动词替换"弄"。

I. 这支笔他弄坏了。

II. 妈妈已经把饭弄好了。

III. 这个行李箱太大了，你帮我弄过去吧。

参考答案：I. 用　II. 准备　III. 搬

（3）千万

① 语言点解析

"千万"，副词，表示"务必、一定"的意思，后面常接否定形式。

② 语言点导入

- 利用热身图片 A，进行导入。

 教师：如果考试那天你迟到了，你就不能参加考试了，所以……

 学生：千万不能迟到，否则就不能参加考试了。

- 创设情境，进行导入。

 教师：山太高了，我实在爬不动了。

 学生：你已经爬了一半儿了，很快就到了，千万别放弃。

③ 语言点操练

创设情境或联系生活实际，提问操练。

- 教师：如果她知道你给她买了生日礼物，她肯定特别高兴。

 学生：我要等她生日那天再送给她这个礼物，你现在千万别告诉她。

- 教师：喝完酒能开车吗？

 学生：开车千万别喝酒，喝酒千万别开车。

④ 语言点运用

请学生两人一组，根据图片和提示，说说面试时需要注意哪些问题。

提示内容：I. 衣服　II. 说话声音　III. 回答速度　IV. 时间

参考答案：I.　衣服千万不要穿得太随便。

II. 不要紧张，说话的声音千万别太小。

III. 回答问题的速度千万不要太快，也不要太慢。

IV. 去面试千万别迟到。

⑤　比一比：千万——一定

按照教材中的辨析步骤进行。

（4）来

①　语言点解析

"来"，动词，用在另一个动词前面，表示"要做某事"的意思，常用在口语中。如果不用"来"，句子的意思不变。

②　语言点导入

联系课堂实际，提问导入。

● 教师：这个汉字（黑板上写一个汉字）怎么读，谁来回答？

学生：老师，我来回答。

板书：我来回答。

> 教师板书"我来回答"，然后把"来"字擦掉，再问一遍刚才的问题，使学生理解不用"来"，句子意思不变。

③　语言点操练

联系生活实际，提问操练。

● 教师：你们家一般都是谁负责做饭？

学生：我们家一般都是妈妈来负责做饭。

● 教师：谁打扫房间？

学生：……来打扫房间。

④　语言点运用

请学生选择"来"在句子中恰当的位置。

I.　经理您 A 放心，我一定 B 以最快的速度 C 把办公室 D 打扫干净。

II. 孙月的女儿早上闹钟 A 响了也不 B 醒，每天都 C 得孙月 D 叫醒她。

III. 父母 A 应该让孩子学会自己 B 管理时间，这样他们 C 就不会 D 浪费时间。

参考答案：I. C　II. D　III. B

（5）左右

① 语言点解析

"左右"，名词，只用在数量词后面，表示比某一数量稍多或者稍少。

② 语言点导入

- 利用热身图片 D，提问导入。

教师：你们猜这个儿童多大了？

学生：我觉得她应该七岁左右。

- 创设情境，提问导入。

教师：马克，我们已经到电影院了，你什么时候能到啊？

学生：马上就到，5 分钟左右。

③ 语言点操练

联系生活实际，提问操练。

- 教师：你每天几点起床？几点睡觉？

学生：我每天 7 点左右起床，10 点左右睡觉。

- 教师：我刚搬到这儿，对这儿还不熟悉，听说前面有一个大超市，离这儿远吗？

学生：不太远，离这儿 500 米左右，非常方便。

④ 语言点运用

请学生两人一组，根据提示用"左右"补全对话，并分角色表演。

A：在网上买这本书多长时间能送到啊？

B：_____。

A：这本书网上卖得比学校书店便宜多少？

B：_____。

参考答案：网上买书两天左右就能到

比学校书店便宜 1/3 左右

4 课文

（1）就课文内容，教师将下列问题写在黑板上或用PPT展示（或教师给学生发放问题单）：

课文 1

那个表演的男孩子是谁？

那个男孩子表演的什么？表演得怎么样？

他以前表演过吗？

那个男孩子为什么这么优秀？

课文 2

每天孙月因为哪些小事批评女儿？

这些小事对孙月和女儿有影响吗？

王静建议孙月怎么做？

课文 3

王静明天带孩子做什么？

孙月建议王静怎么解决问题？

表扬越多越好吗？为什么？

课文 4

有的孩子为什么故意敲打？

如果孩子故意敲打，父母应该怎么办？

父母可以骗孩子吗？为什么？

课文 5

当孩子不明白时，怎样教育孩子比较好？不应该做什么？

对于骄傲的孩子，应该怎么教育？

如果孩子性格害羞，应该怎么办？

（2）要求学生带着问题，听两遍录音并回答问题，教师给出答案；

（3）学生打开课本，教师逐句播放录音，学生看课本听第二次录音并跟读；

（4）教师领读一遍课文；

（5）全班一起大声齐读一遍课文；

（6）请 2～3 组学生分角色朗读课文，教师正音；

（7）做以下课文扩展练习：

对话课文：教师带领学生根据问题单上问题的答案叙述课文内容，并请学生单个复述。

课文 1

李老师的孙子一边弹钢琴一边唱歌，表演得很棒。他在去年寒假前的新年晚会上也表演过一次。他父母不仅教他知识，还帮助他养成了好习惯。

课文 2

早上闹钟响了，孙月的女儿还不醒，因为昨天晚上她做作业做到 11 点。孙月赶时间送她上学，可她又急着上厕所。每天孙月因为这些小事批评女儿，弄得她们心情都不好。王静认为应该让孩子学会管理时间。

课文 3

王静明天带儿子去医院打针，但是儿子很怕打针。孙月建议王静鼓励和表扬孩子。表扬千万不要太多，过多的表扬会让孩子怀疑自己的能力。

短文课文：请学生根据课文内容，补全下面的语段，并请学生单个复述朗读。

课文 4

有的孩子会通过故意敲打来……（引起父母的注意），在这种情况下，父母先不要生气，应该陪孩子……（整理东西），和他们聊天，弄清楚他们的问题。教育孩子应该选择……（合适的教育方法），不要骗孩子，这是因为儿童缺少判断能力，他们会学着……（说假话）。

课文 5

当孩子不明白时，不要用……（"懒""笨""粗心"）这种词批评他。对不同性格的孩子要使用不同的……（教育方法）。如果孩子……（比较骄傲），应该让他明白还有很多知识需要学习；要是孩子……（性格害羞），就应该鼓励他们说出自己的看法。

5 扩展

（1）领读"护照、保护、护士"三个同字词，请学生说一说"护"字在词中的位置和意义。"护"的义项：

保护、保卫：护照、保护、护士

（2）请学生完成"选词填空"练习，教师给出答案。

答案：①保护　②护士　③护照

（3）教师在黑板上列出以下词语，请学生猜词义，教师给出简单的例句进行解释。

护工：她不是护士，是护工。

护理：这个护士把病人护理得非常好。

爱护：请大家爱护小区里的花草。

救护车：他病得很严重，快叫救护车来。

6 补充课堂活动

请学生 4 人一组，谈谈自己父母的教育方法，比如是怎么教育自己管理时间和钱的，讨论一下哪些方法比较好，并说明原因。

7 文化

教师引导学生了解"孟母三迁"的故事，可根据需求和时间安排，进行以下参考活动：

• 展示图片，介绍孟子；

• 根据故事内容提问：

孟子的妈妈为什么搬家？

第二次搬家是因为什么？

现在"孟母三迁"可以用来说哪种父母？

• 请学生讨论"孟母"的方法好不好。

8 布置作业

• 每个生词写 3 遍；

• 用本课所学的 5 个语言点分别造一个句子。

16 生活可以更美好

一、教学内容和教学目标

主题	人生哲理、经验 （1）对话：申请留学、成功的经验、如何拒绝别人 （2）短文："一切从现在做起""天外有天，人外有人"
语言点	学生能够了解并掌握： （1）"可"表示强调 （2）"恐怕"表示"担心""估计""大概、也许" 　　＊辨析"恐怕"和"怕"的异同 （3）"到底"表示"一直到结束、到终点""进一步探究"的意思 （4）"拿……来说"引入要说明的事物或情况 （5）"敢"表示有把握做某事
词汇	学生能够： （1）掌握本课30个四级大纲词汇的意义和用法 　　重点词语：报名、参观、激动、失望、礼貌、原谅、同情、 　　　　　　　马虎、自信、重视、尊重 （2）了解1个非大纲词汇的意义：代表 （3）理解"重"字的组词规律及在词汇中的意义

二、教学步骤

■ 复习旧课

1 使用生词卡片，快速认读下列词语：

赶、批评、管理、表扬、怀疑、
故意、整理、合适、骄傲、害羞

2 快速回答问题（与第 15 课或学生实际生活有关的问题）：

（1）如果小孩子害怕打针，父母应该怎么做？
（2）有的孩子得不到自己想要的东西时会做什么？为什么？
（3）要是父母骗了孩子，对孩子有什么影响？

3 检查作业：

请 5 名学生每人用上节课所学语言点说一个句子。

二 学习新课

1 热身

热身1：学生两人一组，合作完成；教师指出图片，请学生根据图片说出对应的词语，教师核对答案；教师领读热身1的生词；最后全体学生齐读，教师正音。

答案：①C　②A　③D　④E　⑤B　⑥F

热身2：请4个学生分别朗读热身2的4个句子，然后说说哪种情况自己会拒绝，并说明原因；请3～5个学生谈谈自己拒绝的方式。

2 生词

（1）生词快速认读及正音

课文1（对话）：博士、签证、报名、表格、传真、号码

课文2（对话）：参观、激动、小伙子、记者、*代表、恐怕

课文3（对话）：失望、郊区、到底、呀、导游、礼貌、原谅

课文4（短文）：挂、同情、推、预习、重点、马虎、自信

课文5（短文）：冷静、输、重视、敢、尊重

- 教师用PPT或卡片展示并领读生词（带拼音）；
- 取消拼音，带领学生再次认读；
- 逐词（不带拼音）闪现，请学生快速认读生词；
- 请3～5个学生快速随机认读3～5个生词；
- 最后全体学生快速齐读所有生词。

（2）生词讲解方式

直观法（图片、实物）	图片类：签证（护照签证页照片）、传真（一张名片，标出或指明传真）、号码（一张名片，标出或指明电话、传真等号码）、参观（热身图片A）、激动（热身图片C）、小伙子（男童、年轻男人、中年男人、老年男人的对比图片）、记者（热身图片F）、失望（热身图片D）、郊区（市内、郊区生活场景图片，可配合画图/地图说明）、导游（导游举旗领队照）、挂（热身图片E）、推（热身图片B）、尊重（小学生给老师/长辈鞠躬） 实物类：表格（课本第69页双人活动表格示例）
列举法（同类词列举）	博士（硕士、博士）、预习（复习、预习）
对比法（反义词对比）	马虎（仔细）、冷静（着急）、输（赢）
替换法（同/近义替换）	呀（啊）
分解法（分解词义）	自信（相信＋自己）
提问启发	报名、代表、原谅、同情、重点、礼貌 教师提问，引导学生说出句子： 　如果你想参加HSK考试，应该先做什么？——我们应该先在网上报名。

（续表）

提问启发	我们常常几个人一起讨论，然后请一个人说。——他代表我们说。 我说对不起，然后她接受了。——她原谅我了。 看到她心情很不好，我心里也觉得难过。——我很同情她。 老师说这个语法很重要。这个语法是……——这个语法是学习的重点。 马克总是笑着向别人问好……——马克对人很有礼貌。

（3）字形辨认练习

教师用卡片或 PPT 展示，请学生快速辨认并读出，最后给每个字组词。

士—土　　签—检　　传—位

观—欢　　代—找　　郊—校

底—低　　呀—啊　　推—谁

（4）重点生词扩展及常用搭配

报名—报名表格—填写报名表格—报名参加考试—他跟国外大学取得了联系，填写了报名表格。

参观—参观公司 / 学校—带我参观公司—谢谢您带我参观您的公司。

激动—很 / 比较 / 非常激动—我很激动—在参观过程中我很激动。

代表—代表我们—你代表我们说—西瓜的大小代表钱的多少。

失望—很 / 比较 / 非常失望—他要失望了—这次我父母又要失望了。

礼貌—有礼貌—很 / 比较 / 非常有礼貌—礼貌的方法—用既合适又礼貌的方法告诉朋友这件事。

原谅—原谅他—他一定会原谅你。

同情—同情你—别人的同情—得到别人的同情—你这么做，不会得到别人的同情。

马虎—很 / 比较 / 非常马虎—马马虎虎—上课时要认真听，不能马虎。

自信—很 / 比较 / 非常自信—自信的人—越来越自信—他汉语越学越好，越说越自信。

重视—很 / 比较 / 非常重视—重视这件事—重视平时的积累—我们应该重视平时的积累，多向周围的人学习。

尊重—尊重父母—别人的尊重—得到别人的尊重—如果你诚实地说出自己不懂的地方，更能得到别人的尊重。

3 语言点

（1）可

① 语言点解析

"可"，副词，表示强调，还可用在问句里加强语气。

② 语言点导入

- 联系生活实际，提问导入。

教师：今天天气好吗？

学生：今天天气可（不）好了。

> 注意："可"的重音，结合手势，突出"可"表示强调的语气。

- 利用图片，进行导入。

教师展示热身图片D。

教师：面试结果出来了，他知道结果以后……

学生：他知道面试结果以后可失望了，但是一定不会放弃的。

教师展示一道不常见的中国菜图片。

教师：你们今天回去试着做做这个菜。

学生：我都没吃过这个菜，这可怎么做呀？

③ 语言点操练

利用热身1图片B、C、D，提问操练。

- 教师：这个箱子重不重？

学生：那个东西可重了！需要他们3个人一起推。

- 教师：她们去海边儿玩儿开心吗？

学生：她们一看到大海可激动了！

- 教师：今天的作业是写一篇介绍京剧的作文。

学生：我都没看过京剧，这可怎么写呀？

④ 语言点运用

利用本课热身图片E，请学生根据提示内容，把自己当成那个记者，用"可"来介绍一下当时的情况。

提示内容：I. 人多　II. 热闹　III. 距离远　IV. 时间早 / 晚

参考答案：I.　那天去的人可多了！

　　　　　II. 当时的情况可热闹了！

　　　　　III. 举办活动的那个地方离我家可远了！

　　　　　IV. 那天我回到公司时可晚了！

（2）恐怕

<u>动词用法</u>

① 语言点解析

　　"恐怕"，动词，表示"担心"的意思。

② 语言点导入

　　联系生活实际，直接提问，并利用同义词表达替换导入。

　　教师：8 点上课，你 7:40 起床，时间够吗？

　　学生：我担心会迟到。

　　板书：我担心会迟到

　　　　　　　恐怕

> 　　教师板书句子，然后在"担心"下面标记出"恐怕"，帮助学生理解"恐怕"做动词时表示担心。

　　教师：他原来不是计划 7 点去机场吗？怎么才 5 点就走了？

　　学生：他恐怕会堵车，所以提前了两个小时。

> 注意：表示"担心"时，主语用在"恐怕"前，是"担心"的施事。

③ 语言点操练

　　创设情境，提问操练。

- 教师：你不是说要去公园吗？怎么还在宿舍啊？

　　学生：天气不好，我恐怕会下雨。

- 教师：别担心，考试时间有两个小时呢，肯定能做完。

　　学生：我恐怕考试时间不够。

<u>副词用法 1</u>

① 语言点解析

　　"恐怕"，副词，表示"估计，而且有点儿担心"的意思。

② 语言点导入

　　联系生活实际，提问导入。

　　教师：中午饭只吃一个小面包，你估计够不够？（展示小面包图片）

　　学生：一个小面包估计不够。

　　板书：一个小面包估计不够。 / 估计一个小面包不够。

　　　　　　　　　恐怕　　　　　　　恐怕

> 　　教师板书后，在"估计"旁标记出"恐怕"，帮助学生理解"恐怕"做副词时表示估计，有"担心"的意思。

结合上边例句，提问导入，并说明两者意义的区别。

教师：你不是说要去公园吗？怎么还在宿舍啊？

学生：你看现在的天气，今天恐怕会下雨，所以我没去。

你看现在的天气，恐怕今天会下雨，所以我没去。

注意：表示"估计"时，主语可在"恐怕"前或后，在语义上主语是估计内容的一部分。

③ 语言点操练

创设情境，提问操练。

• 教师：咱们已经等了他1个小时了，他还来吗？

学生：今天路上堵车，恐怕他来不了了，咱们还是别等他了。

• 教师：考试时间有两个小时，你能做完吗？

学生：考试时间恐怕不够。

副词用法2

① 语言点解析

"恐怕"，副词，还可表示估计、推测，有"大概、也许"的意思。

② 语言点导入

利用课堂情境，提问导入。

教师：……还没到教室，他怎么了？

学生：他可能在路上。

板书：他大概在路上。

恐怕

教师板书后，在"可能"旁标记出"恐怕"，帮助学生理解"恐怕"做副词，表示估计，有"大概、也许"的意思。

教师：他回国大概多长时间了？怎么现在才告诉我？

学生：他回国恐怕已经一个多月了。

注意："恐怕"表示"大概、也许"时没有"担心"的意味。

③ 语言点操练

创设情境，提问操练。

• 教师：我们还需要告诉大卫他又没通过考试的消息吗？

学生：恐怕他已经知道这个结果了。

• 教师：现在还来得及去看演出吗？

学生：演出7:00就开始了，现在恐怕已经结束了。

④ 语言点运用

请学生用"恐怕"改写下面的句子，教师帮助学生判断正误。

I. 我打算放寒假去海南旅游，但是我担心丈夫到时没时间。

II. 网上买的东西估计两三天才能到，你要是着急，直接去商场买吧。

III. 他说想去旅游，前几天去办了签证，这次可能是要到国外旅游。

参考答案：I. 我打算放寒假去海南旅游，但是我恐怕丈夫到时没时间。

II. 网上买的东西恐怕两三天才能到，你要是着急，直接去商场买吧。

III. 他说想去旅游，前几天去办了签证，这次恐怕是要到国外旅游。

⑤ 比一比：恐怕—怕

按照教材中的辨析步骤进行。

（3）到底

动词用法

① 语言点解析

"到底"，动词，表示"一直到结束、到终点"的意思。

② 语言点导入

创设情境，进行导入。

- 教师：你陪我逛了两个小时了，如果你觉得累，就先回家吧。

学生：没关系，我陪你逛到底。

- 教师：我在你们商场买这个冰箱，如果出现质量问题了怎么办？

学生：您放心，只要您在我们这里买，不管什么问题，我们一定负责到底。

③ 语言点操练

创设情境，进行操练。

- 教师：别喝了，今天你喝得太多了！

学生：不行，我要跟你喝到底。

- 教师：如果任务太难，就别做了。

学生：我一定会坚持到底，把它做完。

副词用法

① 语言点解析

"到底"，副词，用在疑问句或者带疑问代词的非疑问句中，表示进一步探究的意思。如果主语是疑问代词，"到底"只能放在主语前。

② 语言点导入

创设情境或联系课堂实际，进行导入。

- 教师：你说我是去呢？还是不去呢？我真的不知道。

学生：你到底去不去？快点儿决定吧。

- 教师：你猜咱们班谁考了第一名？

学生：我可猜不到，你快说吧，到底谁考了第一名。

③ 语言点操练

创设情境或联系生活实际，进行操练。

- 教师：小李很帅，我喜欢。小林很聪明，我也喜欢。
  学生：你到底喜欢谁啊？
- 教师：我挺想考 HSK 考试的，可是又怕自己没准备好。
  学生：明天就是报名的最后一天了，你到底参不参加？

④ 语言点运用

请学生用"到底"改写下面的句子，教师帮助学生判断正误。

I. 我既然帮助你做了这件事，就一定会帮你完成它。

II. 他想不明白那块蛋糕是被谁吃了。

III. 我计划去郊区住一个月，明天就走，你快决定跟不跟我去。

参考答案：I. 我既然帮你做了这件事，就一定帮到底。

II. 他想不明白那块蛋糕到底是被谁吃了。

III. 我计划去郊区住一个月，明天就走，你到底跟不跟我去呢？

（4）拿……来说

① 语言点解析

"拿……来说"结构中"拿"做介词，用来引入要说明的事物或情况。

② 语言点导入

联系生活实际，提问导入。

- 教师：你觉得汉语难吗？
  学生：有点儿难，拿发音来说吧，我总是发得不准确。
- 教师：我想去北京语言大学学习汉语，那个学校怎么样？
  学生：那个学校不错，拿老师的讲课方法来说吧，他们能用最简单、最容易的语言来解释复杂的语法。

③ 语言点操练

联系生活实际和课文内容，提问操练。

- 教师：老师说的学习方法有用吗？
  学生：有用啊，拿看中文报纸来说，可以学习到很多有用的词语。
- 教师：申请到国外读博士难不难？
  学生：不太容易，拿办签证来说，就特别复杂，要准备很多材料。

④ 语言点运用

请学生参考图片，根据提示内容，谈谈对京剧的了解。

提示内容：I. 动作　II. 唱法　III. 衣服

参考答案：I.　京剧有着丰富的文化内容，拿动作来说，每个动作都表示了不同的意义。

II.　京剧有着丰富的文化内容，拿唱法来说，听起来非常特别。

III. 京剧有着丰富的文化内容，拿衣服来说，每套衣服都很漂亮。

（5）敢

① 语言点解析

"敢"，能愿动词，用在动词前面，表示有把握做某事。

② 语言点导入

利用图片，提问导入。

教师展示过山车的图片和恐怖电影海报。

- 教师：这是过山车，你们敢玩儿吗？

  学生：我敢玩儿，觉得非常有意思。

- 教师：你晚上敢一个人看这种电影吗？

  学生：我可不敢晚上一个人看这种电影。

③ 语言点操练

联系生活实际或创设情境，进行操练。

- 教师：躺着看书对眼睛非常不好。

  学生：我不敢再躺着看书了。

- 教师：小刚既然喜欢小丽，为什么不告诉她呢？

  学生：他不敢对小丽说"我爱你"。

④ 语言点运用

请学生说说自己敢不敢做以下几件事情。

I.　蹦极（bèngjí, bungee jumping）

II.　在全校学生面前跳舞

III. 拒绝父母的要求

参考答案：我（不）敢……

4 课文

（1）就课文内容，教师将下列问题写在黑板上或用PPT展示（或教师给学生发放问题单）：

课文 1

小夏现在正在准备什么？为什么？

小夏已经做了哪些事情？

小夏下周打算做什么？遇到了什么问题？

课文 2

王老板带李进做什么了？

李进心情怎么样?

王老板大学毕业多长时间了?

李进为什么想问王老板问题?

课文 3

放假后,小李有什么计划?

小林的朋友让小林做什么?小林同意吗?

小李认为怎么拒绝朋友,朋友会原谅小林?

课文 4

"把'明天'和'将来'挂在嘴边"这句话是什么意思?

如果因为浪费时间没有成功,别人会同情你吗?

应该怎么学习汉语?

课文 5

有了"我非常优秀"这种想法应该怎么办?

平时我们应该重视什么?

如果你诚实地说自己不懂,别人会讨厌你吗?

(2)要求学生带着问题,听两遍录音并回答问题,教师给出答案;

(3)学生打开课本,教师逐句播放录音,学生看课本听第二次录音并跟读;

(4)教师领读一遍课文;

(5)全班一起大声齐读一遍课文;

(6)请2～3组学生分角色朗读课文,教师正音;

(7)做以下课文扩展练习:

对话课文:教师带领学生根据问题单上问题的答案叙述课文内容,并请学生单个复述。

课文 1

  小夏想出国读博士,正在准备办签证需要的材料。他已经准备好了成绩证明和护照,跟国外大学取得了联系,填写了报名表格。他想下个星期去办签证,但是国外大学还没把邀请信传真给他。

课文 2

  王老板带李进参观了他的公司,李进很激动。王老板用十年时间给公司赚了很多钱,李进非常吃惊。所以,李进问了王老板一个问题,想向他学习一下成功的经验。

课文 3

  小李放假后计划去郊区住一个月。小林本来放假要回家,这次又回不了了,因为一个外地的好朋友要来旅游,想让他当导游,他不好意思拒绝。小李认为如果小林用一个既合适又礼貌的方法告诉朋友,朋友会原谅他的。

短文课文:请学生根据课文内容,补全下面的语段,并请学生单个复述朗读。

课文 4

如果常把"明天"和"将来"……（挂在嘴边），会浪费时间，让你到最后什么事情都做不成，而且得不到……（别人的同情），所以不要把事情都推到"明天"。拿……（学汉语来说），首先要注意课前预习，找出第二天要学习的重点。其次，上课要认真听，……（不能马虎）。最后，课后要记得复习。

课文 5

当我们认为自己在哪方面很优秀时，要冷静，不要骄傲。没有人会……（永远输），也没有人会一直赢。我们应该重视……（平时的积累），多向周围的人学习。如果你……（敢诚实地）说出自己对哪方面不了解，更能得到……（别人的尊重）。

5 扩展

（1）领读"严重、重点、重视、尊重"四个同字词，请学生说一说"重"字在词中的位置和意义。"重"的义项：

　　①程度深：严重

　　②重要：重点

　　③看重、觉得重要：重视、尊重

（2）请学生说说还有哪些带"重"字的词，教师列在黑板上，如果没有，可补充下列真假同字词，最后请学生判断正误，教师给出正确答案。

　　重要　　重大　　重务（×）　　重地

　　看重　　自重　　身重（×）　　轻重

（3）请学生完成"选词填空"练习，教师给出答案。

　　参考答案：①严重　②重点　③重视　④尊重

6 补充课堂活动

　　学生 4 人一组，互相交流一下自己对未来的打算，讨论一下如何才能实现自己的理想，并说说自己对成功的理解，最后每组派代表向大家报告。

7 文化

　　教师引导学生了解"铁杵磨成针"的故事，可根据需求和时间安排，进行以下参考活动：

• 展示图片，认识中国唐朝著名的诗人李白及其主要成就；
• 利用多媒体，展示"铁杵磨成针"的动画内容；
• 请学生谈谈这个故事说明了什么道理。

8 布置作业

• 每个生词写 3 遍；
• 用本课所学的 5 个语言点分别造一个句子。

17 人与自然

一、教学内容和教学目标

主题	人与自然的关系 （1）对话：自然景色变化、饲养动物、游览动物园 （2）短文：森林、海洋
语言点	学生能够了解并掌握： （1）"倒"表示把容器倾斜使里面的东西出来；也表示转折或让步 （2）"干"读 gàn 时表示从事某种事业、工作、活动；读 gān 时表示没有水分或水分很少，儿化后表示经过加工去掉了水分的食品 （3）"趟"表示往返的次数 ＊辨析"趟"和"次"的异同 （4）"为了……而……"，前一分句表示后一分句动作行为的目的 （5）"仍然"表示跟原来情况一样
词汇	学生能够： （1）掌握本课 28 个四级大纲词汇的意义和用法 　重点词语：凉快、照、严格、难受、放暑假、排队、社会、 　　　　　　竞争、剩、底、排列 （2）了解 1 个非大纲词汇的意义：美人鱼 （3）理解"然"字的组词规律及在词汇中的意义

二、教学步骤

一 复习旧课

1 **使用生词卡片，快速认读下列词语：**

报名、参观、激动、代表、失望、礼貌、
原谅、同情、马虎、自信、重视、尊重

2 **快速回答问题（与第 16 课或学生实际生活有关的问题）：**

（1）如果要拒绝朋友的要求，最好用哪种方法？
（2）从课前、课后、上课时几个方面谈谈应该怎么学习汉语。
（3）如果自己没听懂，但是却说自己懂了，这样好不好？为什么？

3 **检查作业：**

请 5 名学生每人用上节课所学语言点说一个句子。

二 学习新课

1 热身

热身 1：学生两人一组，合作完成；教师指出图片，请学生根据图片说出对应的词语，
教师核对答案；教师领读热身 1 的生词；最后全体学生齐读，教师正音。

答案：①F ②C ③B ④A ⑤D ⑥E

热身 2：教师带领学生熟悉调查表格的内容；请学生两人一组，调查对方对动物的态
度；请 3～5 名学生报告调查结果。

2 生词

（1）生词快速认读及正音

课文 1（对话）：凉快、热闹、云、广播、照、倒

课文 2（对话）：毛、抱、干、严格、难受

课文 3（对话）：趟、放暑假、老虎、入口、排队、活泼

课文 4（短文）：社会、竞争、森林、剩、暖和

课文 5（短文）：海洋、底、*美人鱼、公里、仍然、排列、梦

• 教师用 PPT 或卡片展示并领读生词（带拼音）；

• 取消拼音，带领学生再次认读；

• 逐词（不带拼音）闪现，请学生快速认读生词；

• 请 3～5 个学生快速随机认读 3～5 个生词；

• 最后全体学生快速齐读所有生词。

（2）生词讲解方式

直观法（图片、实物、视频、符号）	图片类：热闹（热身图片 F）、云（热身图片 B）、老虎（热身图片 D）、入口（景点入口）、排队（超市收银台排队结账）、活泼（热身图片 A）、森林（热身图片 C）、剩（剩菜）、海洋（热身图片 E）、美人鱼、排列（数独游戏）、底（海面和海底图片对比） 实物类：毛（衣服的皮毛，配合动物的毛） 视频类：广播（公共汽车或地铁内的广播场景） 符号类：公里（KM）
情景法（肢体动作、语言等）	照（拍照）、抱（伸手抱人）、难受（胃疼时难受的情景）、倒（拿杯子倒水）
替换法（同/近义替换）	暖和（暖）、干（做）、趟（次）、仍然（还）
对比法（反义词对比）	凉快（暖和）
分解法（分解词义）	放暑假（放假、暑假）
提问启发	严格、社会、竞争、梦 教师提问，引导学生说出句子： 　　小时候父母对你的要求怎么样？——父母对我要求很严格。 　　环境污染严重吗？很多地方都有这个问题吗？——环境污染是一个社会问题。 　　为什么现在找工作比较难？——因为很多人竞争。 　　你睡觉的时候常常做梦吗？——我经常/不常做梦。

（3）字形辨认练习

教师用卡片或 PPT 展示，请学生快速辨认并读出，最后给每个字组词。

快—块　　闹—问　　广—床

倒—到　　抱—报　　严—亚

趟—趣　　入—人　　仍—扔—极

（4）重点生词扩展及常用搭配

凉快—很 / 比较 / 非常凉快—天气凉快了—最近天气越来越凉快了。

照—照照片—照了一张照片—我想多照点儿照片。

严格—很 / 比较 / 非常严格—严格要求—要求很严格——它会严格按照要求去做。

难受—很 / 比较 / 非常难受—心里很难受—在你心里难受的时候，它会一直陪着你。

放暑假—放暑假了—放暑假的时候—马上就要放暑假了—还有一个月就要放暑假了。

排队—请排队—排队的人—排了一个小时队—入口处排队的人很多。

社会—我们的社会—社会问题—这是一个社会问题—社会上有很多这样的事。

竞争—很多人竞争—竞争得很厉害—很多毕业生竞争这个工作。

剩—剩下—剩下的植物—剩下的一些低矮的植物只能长在高大的植物下面。

底—海 / 树 / 水底—海底世界—在美丽的海底世界里，生活着各种各样的动植物。

排列—排列数字 / 顺序—按顺序排列数字—把数字按顺序排列起来。

3 语言点

（1）倒

┌─────────┐
│ 动词用法 │
└─────────┘

① 语言点解析

"倒"，动词，把容器倾斜使里面的东西出来。

② 语言点导入

- 利用直观动作（倒水）演示，提问导入。

　　教　师：我在做什么？

　　学　生：老师在倒水。

- 联系生活实际，提问导入。

　　教　师：客人到你们家做客，你会做什么向他表示欢迎？

　　学　生：我请他进门，请他坐下，给他倒茶或者咖啡。

③ 语言点操练

创设情境或联系生活实际，提问操练。

- 教　师：这些垃圾怎么办？

　　学　生：把垃圾倒到外边的垃圾桶里吧！

- 教　师：过年时全家人聚在一起吃饭，为了对老人表示尊重，年轻人一般会做什么？

　　学　生：为了对老人表示尊重，年轻人会给老人倒酒。

① 语言点解析

"倒"，副词，表示跟意料相反、含责怪语气，或者表示让步。有时说"倒是"。

② 语言点导入

创设情境，进行导入。

- 教师：现在堵车很严重，我先把你送到地铁站，然后你坐地铁去机场吧。

  学生：这倒是一个好主意，这样就不怕迟到了。

- 教师：昨天的比赛你们看了吗？最后竟然是西班牙队赢了。

  学生：看了，我们本来都以为巴西队能赢，可结果倒和我们想的正好相反。

③ 语言点操练

联系生活实际，提问操练。

- 教师：咱们今天去香山走走吧。

  学生：今天天气倒是不错，我下午没事，咱们下午去吧。

- 教师：放假了你怎么不去旅游呢？

  学生：我倒想去，可是我还得准备 HSK 考试呢。

④ 语言点运用

请学生两人一组，根据提示补全对话，并分角色表演。

A：明天朋友聚会要喝酒，我不能喝酒，这可怎么办啊？

B：_____。（酒、倒、水）

A：把酒换成水，这倒是一个好主意。

B：_____。（倒、朋友、不同意）

参考答案：把酒倒掉，换成水

　　　　　说起来倒容易，恐怕朋友们不会同意

（2）干

动词用法

① 语言点解析

干（gàn），动词，做（事情），表示从事某种事业、工作、活动。

② 语言点导入

采用同义词替换法，提问导入。

- 教师：他／她在做什么？

  教师重复：他／她在干什么？

  注意："干"用重音，突出"做"替换成"干"。

- 教师：大学毕业后，你想干点儿什么？

  学生：我还是干点儿和专业有关系的工作吧。

64

③ 语言点操练

联系生活实际，提问操练。

- 教师：你能猜到你妈妈现在在做什么吗？

  学生：我猜不到她在干什么。

- 教师：周末太无聊了。

  学生：我们出去干点儿什么吧，别学习了。

形容词用法

① 语言点解析

干（gān），形容词，表示没有水分或水分很少。

② 语言点导入

创设情境，提问导入。

- 教师：你怎么突然流鼻血了？

  学生：我也不太清楚，可能是因为最近天气太干。

- 教师：外面开始下雨了吗？

  学生：还没有呢，你看，路上还是干的呢！

③ 语言点操练

创设情境或联系生活实际，提问操练。

- 教师：桌子上怎么都是水啊！一会儿客人就来了。

  学生：好的，我马上把它擦干。

- 教师：洗完衣服后，衣服 10 分钟能干吗？

  学生：10 分钟肯定干不了，至少得 1 个小时。

名词用法

① 语言点解析

干儿（gānr），名词，表示经过加工去掉了水分的食品。

② 语言点导入

利用图片，提问导入。

教师展示牛肉干儿、水果干儿等图片。

教师：这些是什么东西？你们吃过吗？

学生：这是牛肉干儿，那是水果干儿。我只吃过牛肉干儿。

③ 语言点操练

联系生活实际，提问操练。

- 教师：明天咱们去爬山，你准备好吃的了吗？

  学生：你放心吧，都准备好了，我还买了你喜欢吃的牛肉干儿和鱼干儿呢。

- 教师：哪些水果可以做成水果干儿？

  学生：苹果、香蕉、梨什么的都可以做成水果干儿。

④ 语言点运用

请学生两人一组，根据提示补全对话，并分角色朗读。

A：_____？怎么不接我电话呢？（干）

B：我刚才在洗澡，没听见电话响。

A：我们什么时候出门啊？晚了恐怕会堵车。

B：_____。（擦，干）

A：好的，你想吃什么，我现在去超市买点儿路上吃的。

B：_____。（干儿）

参考答案：你到底在干什么呢

　　　　　我把头发擦干就出门

　　　　　你帮我买点儿牛肉干儿吧

（3）**趟**

① 语言点解析

"趟"，量词，表示往返的次数。

② 语言点导入

联系生活实际，提问导入。

- 教师：昨天下课后我去宿舍找你，你正好不在，你去哪儿了？

　　学生：我下课后去了一趟超市，然后才回宿舍的。

- 教师：你现在着急去哪儿呢？

　　学生：我现在去趟办公室找一下王老师。

③ 语言点操练

联系课本内容和生活实际，提问操练。

- 教师：李进去上海做什么了？

　　学生：他去上海出了趟差。

- 教师：周末我们一起去爬山吧？

　　学生：周末不行，我要回一趟家。

④ 语言点运用

请学生两人一组，根据提示补全对话，并分角色朗读。

I.　A：你最近怎么总去大使馆啊？

　　B：_____。（签证，趟）

II.　A：这些照片是在哪儿照的啊？真漂亮！

　　B：_____。（趟，香山）

III.　A：_____？（趟，医院）

　　B：当然可以，回家后要好好休息。

参考答案：I. 为了办签证，我都去了好几趟了

II. 上个月我去了趟香山，那里的红叶特别漂亮

III.马经理，打扰您一下，我明天要去趟医院，想请一天假可以吗

⑤ 比一比：趟—次

按照教材中的辨析步骤进行。

（4）为了……而……

① 语言点解析

　　"为了……而……"，前一分句表示后一分句动作行为的目的。"为了"后面跟词或者词组。

② 语言点导入

联系生活实际，提问导入。

教师：为什么很多女人结婚后就不工作了呢？

学生：她们很多人都是为了照顾家庭而放弃工作的。

③ 语言点操练

• 联系课本内容，提问操练。

教师：为什么有的孩子总是喜欢敲打东西呢？

学生：他们常常是为了引起父母的注意而故意敲打的。

• 利用图片（变色龙），提问操练。

教师：森林里很多动物为什么会改变颜色呢？

学生：它们一般为了保护自己而改变身体的颜色。

④ 语言点运用

请学生根据句子意思，连线组成 5 个完整的句子，并朗读。

I.　老师为了让学生听懂	A.而严格要求他们
II.　他为了通过 HSK 考试	B.而讲得很慢
III.　父母为了让孩子养成好习惯	C.而加班
IV.　有的人为了快点儿把工作做完	D.而共同努力
V.　让我们为了生活幸福	E.而努力复习

参考答案：I. B　II. E　III. A　IV. C　V. D

（5）仍然

① 语言点解析

"仍然"，副词，表示跟原来情况一样，没有变化。

② 语言点导入

联系生活实际，提问导入。

教师：对于出国留学这件事，你跟父母商量好了吗？他们同意吗？

学生：昨天我又跟父母商量了一下，他们仍然不同意我出国留学。

③ 语言点操练

联系生活实际，提问操练。

- 教师：他上学时就特别喜欢运动，现在他还坚持跑步吗？

  学生：他还和以前一样，仍然每天坚持跑步。

- 教师：如果换了新手机，还能用原来的号码吗？

  学生：即使换了新手机，仍然可以用原来的号码。

④ 语言点运用

请学生选择"仍然"在句子中恰当的位置。

I. 比赛 A 进行了四十分钟了，B 到现在 C 两个队都没进球，比分 D 是 0 比 0。

II. 虽然人 A 比动物 B 聪明，但是动物 C 有很多值得人 D 学习的地方。

III.他们 A 不能互相理解、B 互相尊重，我 C 猜他们总有一天 D 会分开。

参考答案：I. D　II. C　III. A

4 课文

（1）就课文内容，教师将下列问题写在黑板上或用PPT展示（或教师给学生发放问题单）：

课文 1

最近天气怎么样？

这几天香山热闹吗？为什么？

他们去香山看红叶吗？为什么？

课文 2

小李的大黑狗怎么样？

小林每次见了大黑狗，想做什么？

大黑狗听话吗？小李让它做什么，它会去做吗？

课文 3

马克上个月去哪儿了？

北京动物园怎么样？

马克去的那天人多吗？为什么？

课文 4

人与人之间有竞争吗？植物之间呢？

植物会为了什么而竞争？

比较低矮的植物一般长在哪里？

课文 5

地球上有多少地方是海洋？

海底生活着动植物吗？

在几公里深的海底还能看到东西吗？能看到什么？

（2）要求学生带着问题听两遍录音并回答问题，教师给出答案；

（3）学生打开课本，教师逐句播放录音，学生看课本听第二次录音并跟读；

（4）教师领读一遍课文；

（5）全班一起大声齐读一遍课文；

（6）请2～3组学生分角色朗读课文，教师正音；

（7）做以下课文扩展练习：

对话课文：教师带领学生根据问题单上问题的答案叙述课文内容，并请学生单个复述。

课文 1

最近天气越来越凉快了，秋天已经到了。这几天香山特别热闹，很多游客去看红叶。但是香山上人太多了，他们改天去长城，广播里说那里有不少专门看红叶的好地方。

课文 2

小李的大黑狗毛很漂亮，而且很聪明，小林每次见了都想抱一抱。每次小李让它干什么，它就会严格按照小李的要求去做，就像能听懂小李的话一样。

课文 3

马克上个月去了趟北京动物园。北京动物园是亚洲最大的动物园之一。那天正赶上六一儿童节，入口处排队的人很多。动物园里热闹极了，大熊猫身子胖胖的，样子也很可爱。

短文课文：请学生根据课文内容，补全下面的语段，并请学生单个复述朗读。

课文 4

不仅……（社会上）的人与人之间有竞争，森林里的……（各种植物之间）也有竞争。植物会为了……（阳光、空气和水）而竞争。一些高大的植物往往能获得更多的阳光、空气和水，而……（剩下的一些比较低矮）的植物就只能长在这些高大植物的下面。

课文 5

地球上大约71%的地方是……（蓝色的海洋），在美丽的……（海底世界），生活着各种各样的植物和动物。就算在……（几公里深的海底）也仍然能看到东西，许多鱼像一个个……（排列起来）的灯，就像在梦里一样。

5 扩展

（1）领读"既然、竟然、仍然、突然"四个同字词，请学生说一说"然"字在词中的位置和意义。"然"的义项：

　　① 副词或形容词后缀：突然、仍然、竟然

　　② 如此、这样、那样：既然

（2）请学生说说还有哪些带"然"字的词，教师列在黑板上，如果没有，可补充下列真假同字词，最后请学生判断正误，教师给出正确答案。

　　然后　　然而　　然为（×）　　然则

　　忽然　　已然　　严然（×）　　自然

（3）请学生完成"选词填空"练习，教师给出答案。

　　参考答案：①竟然　②突然　③仍然　④既然

6 补充课堂活动

　　请学生 4 人一组，谈谈世界（社会、海洋、森林等）上存在哪些竞争，并说说竞争的原因和影响，最后请每组的代表给全班介绍一下。

7 文化

　　教师引导学生了解熊猫的习性和生活习惯，可根据需求和时间安排，进行以下参考活动：

- 展示图片，认识熊猫的样子、分布的地域、食物；
- 利用多媒体，展示熊猫的活动视频片段；
- 请学生模仿熊猫表演，看谁模仿得最像。

8 布置作业

- 每个生词写 3 遍；
- 谈谈你心中的海底世界是什么样的，大约 3 分钟。

18 科技与世界

一、教学内容和教学目标

主题	科技生活 （1）对话：科普知识、互联网对人们的影响、对梦的解释 （2）短文：手机的作用、"地球村"
语言点	学生能够了解并掌握： （1）"是否"表示是不是 （2）"受不了"表示不能忍受 （3）"接着"表示（时间上）紧跟着 *辨析"接着"和"然后"的异同 （4）"除此以外"表示"除了这个（指代前面所说的内容）以外" （5）"把……叫作……"表示后面是前面的名称

词汇	学生能够：
	（1）掌握本课 30 个四级大纲词汇的意义和用法
	      重点词语：降落、秒、受不了、允许、危险、咸、举、地址、
	          地点、收、信息
	（2）了解 2 个非大纲词汇的意义：方式、抓
	（3）理解"点"字的组词规律及在词汇中的意义

二、教学步骤

—— 复习旧课

1 使用生词卡片，快速认读下列词语：

凉快、照、严格、难受、放暑假、
排队、社会、竞争、剩、底、排列

2 快速回答问题（与第 17 课或学生实际生活有关的问题）：

（1）到了秋天，为什么很多人去香山参观？
（2）怎么能让狗按照我们的要求做一些事情？
（3）森林里为什么有的植物长得高，有的长得矮？

3 检查作业：

请 5 名学生谈谈自己心中的海底世界是什么样子的。

二 学习新课

1 热身

热身1：学生两人一组，合作完成；教师指出图片，请学生根据图片说出对应的词语，教师核对答案；教师领读热身1的生词；最后全体学生齐读，教师正音。

答案：①F ②B ③E ④D ⑤C ⑥A

热身2：教师带领学生熟悉调查表格的内容；请学生两人一组，调查对方手机的使用情况；请3～5名学生报告调查结果。

2 生词

（1）生词快速认读及正音

课文1（对话）：降落、火、作者、交通、技术、是否

课文2（对话）：秒、*方式、受不了、日记、安全、密码、允许

课文3（对话）：座、桥、危险、接着、警察、*抓、咸、矿泉水

课文4（短文）：付款、举、迷路、地址、地点

课文5（短文）：世纪、邮局、收、信封、网站、信息

- 教师用PPT或卡片展示并领读生词（带拼音）；
- 取消拼音，带领学生再次认读；
- 逐词（不带拼音）闪现，请学生快速认读生词；
- 请3～5个学生快速随机认读3～5个生词；
- 最后全体学生快速齐读所有生词。

（2）生词讲解方式

直观法（图片、实物）	图片类：交通（热身图片C）、日记（某一篇日记）、安全（上车系安全带）、密码（热身图片F）、桥（一座桥）、危险（热身图片D）、警察、付款（热身图片A）、举（热身图片E）、迷路（一个人在迷宫里）、地址（一张名片，指明地址）、邮局（邮局门口）、信息（热身图片B）、咸（第12课热身图片A，并配合问题：放很多盐，味道怎么样？） 实物类：作者（利用本教材封面页，指明作者位置）、秒（用钟表说明秒针位置，并数几秒）、矿泉水、信封、网站（多媒体展示几个网站）
情景法 （肢体动作、语言等）	抓（抓东西的动作）
替换法（同/近义替换）	火（流行）、方式（方法）、接着（然后）、地点（地方）
搭配法	座（一座楼）
对比法（反义词对比）	降落（起飞）、收（发）（email）
分解法（分解词义）	受不了（接受不了，并配合归纳法：吃不了、喝不了……）

（续表）

提问启发	技术、允许、世纪 教师提问，引导学生说出句子： 　　这次咱们开车去旅游，谁来开车呢？为什么？——让马克开车，他开车技术最好。 　　上课可以打电话吗？——上课不允许打电话。 　　从 1900 年到 1999 年一共多少年？还可以怎么说？——一共一百年，也叫作一个世纪。

（3）字形辨认练习

教师用卡片或 PPT 展示，请学生快速辨认并读出，最后给每个字组词。

交—友　　秒—和　　记—纪

允—兄　　桥—校　　险—检

付—对　　举—春　　局—房

（4）重点生词扩展及常用搭配

降落—飞机降落—顺利降落—飞机什么时候降落—女儿问我飞机是怎么起飞和降落的。

秒—1 秒—1 秒钟—刚过了几秒钟—几秒钟就把问题解决了。

受不了—受不了他—实在受不了—眼睛真的受不了—天天对着电脑看，眼睛实在受不了。

允许—不允许—允许他—得到允许—只有得到了允许，别人才能看到。

危险—很 / 比较 / 非常危险—这样做非常危险。

咸—很 / 比较 / 非常咸—吃得太咸—我晚饭吃得太咸，总想喝水。

举—举起来—举起手来—举例子—举一个例子—老师给学生举了好几个例子。

地址—房子的地址—告诉你我的地址—用手机地图查一下地址。

地点—开会地点—举办活动的地点—请通知大家下周开会的时间和地点。

收—收礼物 / 信 / 电子邮件—收到一个生日礼物—用不了一分钟，远处的朋友就能收到电子邮件。

信息—一条 / 个信息—重要信息—获得重要信息—任何信息都可以第一时间获得。

3 语言点

（1）是否

① 语言点解析

"是否"，副词，表示"是不是"的意思，一般用于书面语。

② 语言点导入

使用替换法，提问导入。

教师：这本书你有没有看过？

教师替换：这本书你是否看过？（"是否"用重音）

教师：你准备好明天开会需要的材料了吗？

学生替换：你是否准备好明天开会需要的材料了？

③ 语言点操练

- 利用图片，替换操练。

教师展示运动员举重的图片。

教师：看他现在的情况，你们觉得能举起来吗？

学生：看他现在的情况，很多人怀疑他是否能举起来。

- 联系生活实际，提问操练。

教师：你还记得你第一次旅行去的城市吗？

学生：当然记得，那里特别漂亮。过去这么多年，不知道那里是否发生了变化。

④ 语言点运用

请学生用"是否"改写下面的句子，教师帮助学生判断正误。

I. 听到别人的意见或者建议时，你们应该冷静地想想正确不正确。

II. 这次面试有两个人比较优秀，用不用通知他们下周来上班？

III. 我们总会遇到许多机会，但重要的是当它来到我们身边时我们是不是做好了准备。

参考答案：I. 听到别人的意见或者建议时，你们应该冷静地想想是否正确。

II. 这次面试有两个人比较优秀，是否通知他们下周来上班？

III. 我们总会遇到许多机会，但重要的是当它来到我们身边时我们是否做好了准备。

（2）受不了

① 语言点解析

"受不了"，表示不能忍受（疼痛、痛苦、压力、不幸、态度、脾气等），一般用在名词或名词性短语前。

② 语言点导入

联系生活实际或创设情境，提问导入。

- 教师：我们以后每天学习3篇课文怎么样？

学生：每天学习3篇课文我们真的受不了，太多了。

- 教师：你怎么不接你男朋友电话呢？你生他气了？

学生：不知道为什么，他最近总是对我发脾气，我实在受不了他了。

③ 语言点操练

联系生活实际，提问操练。

- 教师：天天对着电脑工作，你们眼睛不难受吗？

学生：天天对着电脑工作，眼睛当然受不了，可是我必须得用电脑工作啊。

- 教师：你最受不了哪些事情？

  学生：我最受不了我的好朋友骗我。

④ 语言点运用

请学生根据提示说说自己最受不了同屋做以下哪件事情，并说明原因。

I. 睡得太晚   II. 起得太早   III. 在宿舍做饭   IV. 常请朋友来

（3）**接着**

① 语言点解析

　　"接着"，副词，表示（时间上）紧跟着，表示在前面发生的情况以后马上发生了另外的情况。

② 语言点导入

创设情境，提问导入。

教师把书给第一个学生，再请那个学生把书给第二个学生。

- 教师：老师把书给了……（马克），……（马克）又做什么了？

  学生：老师把书给了马克，接着，马克又把书给了别的同学。

- 教师：你现在有时间吗？这个调查我恐怕没时间再做了，你能不能帮我把它做完？

  学生：没问题，我帮你接着把调查做完。

③ 语言点操练

创设情境，提问操练。

- 教师：你给我解释一下，今天这么重要的会议为什么迟到了？

  学生：经理，对不起，今天孩子突然病了，我先带孩子去医院，接着又把爱人送到公司，所以迟到了。

- 教师：你不是说就去趟邮局吗，怎么现在才过来？

  学生：我从邮局出来以后，接着又去了趟银行，所以来晚了。

④ 语言点运用

请学生4人一组，根据图片提示说句子，并把这几个句子组成一个小故事。

提示内容：I. 打扫房间   II. 喝咖啡
　　　　　III. 逛街   IV. 看书

⑤ 比一比：接着—然后

按照教材中的辨析步骤进行。

（4）除此以外

① 语言点解析

"除此以外"，相当于"除了这个（指代前面所说的内容）以外"，一般用于书面语。

② 语言点导入

联系生活实际，提问导入。

- 教师：手机除了能打电话，还能做什么？

  学生：手机能打电话，除此以外，还能听音乐、看电影、收发电子邮件。

- 教师：在北京是不是只有在香山才能看到红叶？

  学生：香山红叶很有名，除此以外，还有很多地方可以看，比如长城什么的。

③ 语言点操练

联系生活实际，提问操练。

- 教师：你喜欢做哪些运动？

  学生：我只喜欢游泳，除此以外都不太喜欢。

- 教师：怎么提高汉语水平呢？

  学生：看中文电影能提高汉语水平，除此以外，你还可以试着看看中文报纸。

④ 语言点运用

请学生两人一组，根据提示用"除此以外"补全对话，并分角色表演。

A：我们已经学习了好几个月汉语了，你觉得汉语难吗？

B：_____。

A：你说得对，不过通过学习，我也获得了很多东西。你呢？

B：_____。

参考答案：我觉得汉字比较难，除此以外，还有发音

我了解了中国文化，除此以外，还认识了很多中国朋友

（5）把……叫作……

① 语言点解析

"把……叫作……"，后面是前面的名称，"把"后面一般跟名词、代词或名词短语。

② 语言点导入

联系课文内容，提问导入。

- 教师：科学改变了我们的生活，让地球变小了，地球像一个村子……

  学生：我们把地球叫作"地球村"。

- 教师：如果工作或者学习方法不对，你需要用更多的时间才能完成。我们把这种情况叫作什么？

  学生：我们把这种情况叫作"事倍功半"。

③ 语言点操练

联系生活实际，引导操练。

- 教师：中国人觉得黄河像母亲一样，所以……

  学生：中国人把黄河叫作"母亲河"。

- 教师：如果一个人买了新房子，他一般会请朋友到家里吃饭，这叫什么？

  学生：我们把这个习惯叫作"暖房"。

④ 语言点运用

请学生根据句子意思连线，并用"把……叫作……"组成3个完整的句子，最后朗读。

> I.　中国人
> II.　母亲为了教育孩子而经常搬家
> III. 熊猫

> A. 龙的传人
> B. 孟母三迁
> C. 活化石

参考答案：I.　大家都把中国人叫作"龙的传人"。

II.　人们常把母亲为了教育孩子而经常搬家叫作"孟母三迁"。

III. 人们把熊猫叫作"活化石"。

4 课文

（1）就课文内容，教师将下列问题写在黑板上或用PPT展示（或教师给学生发放问题单）：

课文 1

《新十万个为什么》这本书卖得怎么样？

《新十万个为什么》这本书介绍了哪些内容？

王静认为这本书适合孙月女儿吗？

课文 2

什么使学生的学习和生活发生了变化？

天天对着电脑好不好？

现在学生喜欢在网上做什么？

网上的日记，所有人都可以看到吗？

课文 3

王静昨天晚上做了一个什么样的梦？

孙月为什么觉得很奇怪？

课文 4

手机可以做什么？

迷路时手机可以帮助我们做什么？

课文 5

21世纪我们的生活和以前一样吗？

发电子邮件方便吗？为什么？

怎么能以最快的速度知道最新的信息？

（2）要求学生带着问题，听两遍录音并回答问题，教师给出答案；

（3）学生打开课本，教师逐句播放录音，学生看课本听第二次录音并跟读；

（4）教师领读一遍课文；

（5）全班一起大声齐读一遍课文；

（6）请 2～3 组学生分角色朗读课文，教师正音；

（7）做以下课文扩展练习：

对话课文：教师带领学生根据问题单上问题的答案叙述课文内容，并请学生单个复述。

课文 1

《新十万个为什么》这本书非常火，介绍了各种科学知识，包括地球、动物、植物、交通、科学技术等。孙月担心女儿是否能读懂，王静认为这本书语言简单易懂，能增长孩子的科学知识。

课文 2

电脑和互联网技术的发展使学生们的学习方式发生了很多变化，不过天天对着电脑看，眼睛实在受不了。现在越来越多的学生喜欢在网上写日记，他们给网上的日记加密码，只有得到了允许，别人才能看到。

课文 3

王静昨天晚上做了一个奇怪的梦，梦到自己正在一座桥上走着，突然开过来一辆车，非常危险，接着她又梦见自己跳到车上，跟警察一起抓住了一个坏人。王静每次都能记住自己做了什么梦，孙月觉得很奇怪。

短文课文：请学生根据课文内容，补全下面的语段，并请学生单个复述朗读。

课文 4

手机可以打电话、发短信、……（除此以外），还可以听音乐、看电影、阅读、玩游戏、……（付款购物），这大大方便了人们的生活。……（举一个例子），迷路时，只要用手机地图……（查一下地址），马上就能知道怎么去那个地点。

课文 5

21 世纪，我们的生活……（发生了很大变化）。现在不用……（去邮局），只要上网发个电子邮件，用不了一分钟，朋友……（就能收到），比写信封的时间都短。打开网站，……（任何信息）都可以在第一时间获得。

5 扩展

（1）领读"地点、特点、优点、缺点、重点"五个同字词，请学生说一说"点"字在词中的位置和意义。"点"的义项：

① 一定的地点或程度的标志：地点

② 事物的方面或部分：特点、优点、缺点、重点

（2）请学生完成"选词填空"练习，教师给出答案。

参考答案：①特点　②地点　③重点　④优点、缺点

（3）教师在黑板上列出以下词语，请学生猜词义，教师给出简单的例句进行解释。

要点：阅读一篇新闻，首先要明白它的要点。

起点：这次马拉松（Marathon）比赛的起点在香山公园东门。

终点：终点站到了，请大家准备下车。

交点：两条线没有交点。（几何上的某位置）

6 补充课堂活动

学生 4 人一组，分别就下面几个问题进行讨论，最后请每组派代表汇报讨论的结果。

• 人为什么会做梦？
• 为什么有的人记得自己的梦，有的人不记得？
• 有人认为做梦是上天要告诉我们一些事情，你同意吗？

7 文化

教师引导学生了解微博与微信，可根据需求和时间安排，进行以下参考活动：

• 展示图片或有关网站，介绍什么是微博以及主流的微博网站；
• 请学生谈谈使用微信的感受，有什么好处；
• 请学生说说还有哪些新的交流方式。

8 布置作业

• 每个生词写 3 遍；
• 用至少 3 个句子谈谈科技对你生活的改变。

一、教学内容和教学目标

主题	日常生活工作 （1）对话：申请继续学习、家庭生活、请教跳舞 （2）短文：租房、运动与比赛
语言点	学生能够了解并掌握： （1）疑问代词活用表示任指 （2）"上"用在动词后做趋向补语，表示动作行为达到了目的；做可能补语，表示动作行为能否达到目的 （3）"出来"表示某个动作行为让事物的状态从无变成有、从隐蔽变成显露 　*辨析"出来"和"起来"的异同 （4）"总的来说"表示从总体上或从主要情况来评论 （5）"在于"用来指出事物的本质
词汇	学生能够： （1）掌握本课 30 个四级大纲词汇的意义和用法 　重点词语：出生、道歉、打印、破、理发、打招呼、抬、转、 　　　　　占线、场、禁止 （2）了解 2 个非大纲词汇的意义：舞蹈、吵 （3）理解"发"字的组词规律及在词汇中的意义

二、教学步骤

■ 复习旧课

1 **使用生词卡片，快速认读下列词语：**

降落、秒、受不了、允许、危险、
咸、举、地址、地点、收、信息

2 **快速回答问题（与第 18 课或学生实际生活有关的问题）：**

（1）《新十万个为什么》是什么样的书？
（2）人为什么会做梦？你做过什么有趣的梦？
（3）在网上写日记有哪些好处？如果不想让别人看到，应该怎么办？
（4）手机可以做什么？

③ **检查作业：**

请 3 名学生简单谈谈科技对生活的改变。

二 学习新课

① 热身

热身 1：学生两人一组，合作完成；教师指出图片，请学生根据图片说出对应的词语，教师核对答案；教师领读热身 1 的生词；最后全体学生齐读，教师正音。

答案：① A　② D　③ F　④ E　⑤ C　⑥ B

热身 2：教师带领学生熟悉表格；请学生将信息类别填写在表格中，并请 2 个学生介绍一下小夏的信息；请学生 2 人一组，互相提问调查，并将信息填写在表格中；最后请 2 个学生介绍一下调查对象的信息。

② 生词

（1）生词快速认读及正音

课文 1（对话）：学期、出生、性别、道歉、打印、复印

课文 2（对话）：饺子、刀、破、脱、理发、包子、零钱

课文 3（对话）：打招呼、戴、眼镜、*舞蹈、国籍、抬、胳膊、转

课文 4（短文）：租、*吵、厨房、房东、占线

课文 5（短文）：功夫、乒乓球、羽毛球、场、禁止、座位

- 教师用 PPT 或卡片展示并领读生词（带拼音）；
- 取消拼音，带领学生再次认读；
- 逐词（不带拼音）闪现，请学生快速认读生词；
- 请 3～5 个学生快速随机认读 3～5 个生词；
- 最后全体学生快速齐读所有生词。

（2）生词讲解方式

直观法（图片、实物）	**图片类：出生**（产房里医生抱着新生儿给妈妈看）、**性别**（卫生间男女的标志）、**道歉**（热身图片 B）、**打印**（打印文件）、**复印**（热身图片 A）、**饺子**（包好的饺子）、**刀**（切菜刀、水果刀等）、**破**（膝盖或手指受伤）、**理发**（热身图片 C）、**包子**（做好的包子）、**舞蹈**（民族舞、现代舞、印度舞等）、**厨房**（热身图片 D）、**功夫**（少林武术、太极拳、咏春等几种武术动作）、**禁止**（热身图片 F）、**座位**（鸟巢/电影院等场所里的座位或者飞机票座位号） **实物类：零钱**（1 角、5 角、1 元、5 元、10 元等放在一起，100 元、50 元的放一起，进行对比）、**眼镜、胳膊、乒乓球、羽毛球**
情景法（肢体动作、语言等）	**脱**（脱外套）、**打招呼**（跟学生说你好）、**戴**（戴眼镜，或用热身图片 E）、**转**（转身或转头）
对比法（反义词对比）	**吵**（安静）
搭配法（搭配词组）	**场**（一场比赛）

（续表）

提问启发	学期、国籍、租、房东、占线 教师提问，引导学生说出句子： 　　下个学期你会接着学中文吗？——下个学期我会接着学中文。 　　我是中国人。——你的国籍是中国。 　　现在学校不提供宿舍了，你们怎么办？——我们只好在外边租一套房子。 　　租房子的时候，能直接联系到房东吗？——一般不能直接联系到房东。 　　给朋友打电话时，他正在给别人打电话。——朋友的电话占线。

（3）字形辨认练习

教师用卡片或 PPT 展示，请学生快速辨认并读出，最后给每个字组词。

饺—饭　　破—码　　脱—说

包—勺　　镜—竟　　蹈—踢

胳—格　　租—组—稍　　乒—乓

（4）重点生词扩展及常用搭配

出生—出生日期—孩子顺利出生—这个孩子的出生日期是什么时候？

道歉—不用道歉—向你道歉—没关系，你不用向我道歉。

打印—打印材料—打印得很清楚—打印一份材料—我给你重新打印一份，请等一下。

破—破了—手破了—把手弄破了—用刀切肉的时候把手弄破了。

理发—去理发—理一次发—理了一个小时发—那家理发店附近有个餐厅。

打招呼—跟／向你打招呼—打一声招呼—我早上跟你打招呼，你没看见。

抬—抬沙发／家具——抬抬腿—抬一下胳膊—先抬胳膊，然后再抬腿。

转—转身—转一下方向—请往右转一下。

占线—电话占线—我给他打电话，电话总是占线。

场—一场比赛—打一场球—很多人周末会到体育馆打几场球。

禁止—禁止抽烟／打电话—禁止大声说话—看乒乓球比赛时，观众要安静，禁止大声讲话。

3 语言点

（1）疑问代词活用表示任指

① 语言点解析

疑问代词"什么、谁、哪、哪儿、哪里、怎么"等可以表示任指。比如"什么"指任何一件东西，"谁"指任何一个人。句中常跟"都、也"连用。

② 语言点导入

以旧导新，从疑问代词在特殊疑问句中的用法导入疑问代词表示任指的用法。

- 教师：谁想去香山看红叶？（与第 17 课课文 1 内容有关）

  学生：我们班每个人都想去看红叶

  教师总结：我们班谁都想去看红叶。

- 教师：什么时候去香山看红叶？

  学生：都行。

  教师总结：什么时候去都行。/ 哪天去都行。

- 教师：坐地铁、开车、走路、坐公共汽车、打的，怎么去比较方便呢？

  学生：都行。

  教师总结：怎么去都可以。

- 教师：李进、王静、孙月，我们请谁当我们的导游呢？

  学生：都行。

  教师总结：请谁当导游都没问题。

板书：

> 谁
>
> 什么（时候）
>
> 哪儿 / 哪里
>
> 怎么（样）
>
> 哪（个、件……）
>
> 多少 / 几

……都 / 也……

③ 语言点操练

- 联系生活实际，提问操练。

  教师：你们谁有手机？

  学生：谁都有手机。

  教师：现在你们谁的生活能离开手机？

  学生：现在我们谁的生活都不能离开手机。

- 利用热身图片 B，提问操练。

  教师：马克拿着花儿向玛丽道歉，玛丽原谅他了吗？

  学生：马克拿着花儿一直向玛丽道歉，但是玛丽怎么都不原谅他。

④ 语言点运用

用本语言点改写句子，教师给出参考答案，最后朗读正确的句子。

I. 这个菜我喜欢，那个菜我喜欢……这些菜我都喜欢。

II. 刚来中国的时候，我对超市也不熟悉、商场也不熟悉……什么地方都不熟悉。

III. 今天点的菜太多了，我实在吃不完。

IV. 那个商场的每件衣服都很贵，不过都很漂亮。

参考答案：I. 哪个菜我都喜欢吃。

II. 刚到中国的时候，我哪里都不熟悉。

III. 今天点的菜太多了，怎么吃也吃不完。

IV. 那个商场的衣服哪件都很贵，不过哪件都很漂亮。

（2）上

① 语言点解析

"上"，动词，用在动词后面做趋向补语，引申表示动作行为达到了目的；或者做可能补语，表示动作行为能否达到目的。

② 语言点导入

创设情境，提问导入。

- 教师：他想上北京语言大学，也参加了考试，可是没通过。

  学生：他没通过考试，所以他没考上大学。

- 教师：因为他没有认真复习。如果他认真复习，能不能考上呢？

  学生：如果他认真复习，就一定考得上。

③ 语言点操练

创设情境，提问操练。

- 教师：他申请去国外大学读博士，那个大学给他发了邀请信。

  学生：他申请上了国外大学的博士。

- 教师：堵车堵得很厉害，我们能坐上8点的飞机吗？

  学生：堵车堵得这么厉害，恐怕我们坐不上8点的飞机了。

④ 语言点运用

请学生两人一组，根据提示用"上"补全对话，并分角色朗读。

I. A：我明天要回国了，真想妈妈做的菜啊。

   B：＿＿＿＿＿＿＿＿＿＿＿＿＿＿＿＿。

II. A：我放暑假想去外地旅游，可是听说火车票非常不好买。

   B：＿＿＿＿＿＿＿＿＿＿＿＿＿＿＿＿。

III. A：经过这段时间的练习，你跑的速度更快了，下次肯定能赢我。

   B：＿＿＿＿＿＿＿＿＿＿＿＿＿＿＿＿。

参考答案：I. 你终于能吃上妈妈做的菜了

II. 我建议在网上买，一定买得上火车票

III. 我可比不上你，恐怕你的速度也比以前更快了吧

（3）出来

① 语言点解析

"出来"，动词，可用在动词后面做趋向补语，表示某个动作行为让事物的状态从无变成有、从隐蔽变成显露。

② 语言点导入

- 利用热身图片 B，提问导入。

  教师：如果两个人有了误会，应该怎么解决呢？

  学生：他们应该把自己的想法都说出来，好好谈谈。

- 创设情境，提问导入。

  教师：这个数学题真是太难了，如果你做出来了，就给我讲讲怎么做吧。

  学生：我也还没算出来呢，估计得问老师了。

③ 语言点操练

利用热身图片 A 或联系课堂实际，提问操练。

- 教师：材料都复印完了吗？

  学生：只复印出来一部分，全部复印出来大概还得 5 分钟。

- 教师：上课时如果你没听懂，你应该……

  学生：说出来。

④ 语言点运用

请学生两人一组，根据提示用"出来"补全对话，并分角色朗读。

A：_____。

B：你们的想法听起来不错，最好写一个详细的计划给我。

A：没问题。

B：大概什么时候能把计划给我？

A：_____。

参考答案：关于那个活动，我们商量 / 想出来一个好主意，现在跟你说说

我今天晚上就能把计划写出来

⑤ 比一比：出来—起来

按照教材中的辨析步骤进行。

（4）总的来说

① 语言点解析

"总的来说"常用作插入语，表示从总体上或从主要情况来评论。

② 语言点导入

- 利用热身图片 D，提问导入。

  教师：这个厨房怎么样？

  学生：这个厨房比较大，也很干净，里面什么都有，用起来很方便。

  教师总结：总的来说，这个厨房很不错。

- 联系生活实际，继续提问。

  教师：我们学的这本书怎么样？

  学生：生词不是很多、语法讲得很清楚，总的来说，很适合我们学习。

③ 语言点操练

联系第 18 课课文 1 内容，继续提问。

- 教师：《新十万个为什么》这本书怎么样？适合儿童阅读吗？

  学生：这本书内容很多，介绍了地球、动物、植物等很多方面的知识，而且，这本书的语言简单易懂。总的来说，非常适合儿童阅读。

- 教师：你觉得在北京生活怎么样？

  学生：北京气候比较干，但是工作机会很多、交通也很方便，总的来说，我比较喜欢在北京生活。

④ 语言点运用

利用热身图片 C，请学生根据提示内容，介绍一下理发店的情况。

提示内容：I. 顾客　II. 价格　III. 技术

参考答案：去那个理发店理发的顾客每天有很多，因为那里理发的价格不高、理发师的技术也不错，总的来说，那是一个非常棒的理发店。

（5）在于

① 语言点解析

"在于"，动词，常用在书面语中，用来指出事物的本质，有"正是、就是"的意思。"在于"的主语常是名词性词语，后面必须带名词、动词或小句做宾语。

② 语言点导入

联系生活实际，提问导入。

- 教师：功夫、乒乓球、羽毛球，你们喜欢哪种运动？

  学生 A：我喜欢打乒乓球。

  学生 B：我喜欢游泳、跑步什么的。

  ……

  教师：运动很重要，它会让我们的身体年轻、健康，所以中国有句话怎么说？

  学生：生命在于运动。

  板书：生命在于运动。

- 教师：你觉得要想成功，最重要的是什么？

  学生：成功的关键在于自己的努力。

③ 语言点操练

联系生活实际或创设情境，提问导入。

- 教师：有的人遇到困难，就会放弃，而有的人却把困难当成学习的机会，然后继续努力。这两种人有什么区别？

  学生：这两种人的区别就在于他们面对困难的态度。

- 教师：我的孩子总是不听我的话，我不喜欢的事情他一定要做，我该怎么办呢？

  学生：教育孩子的关键不在于让孩子听话，而在于帮助孩子养成好习惯，有自己的想法和判断能力。

④ 语言点运用

请学生根据自己的想法，选择一项，用"在于"组成完整的句子并说明原因，最后朗读句子。

I. 选择职业的关键：

    A. 兴趣　　　　　　B. 工资　　　　　　C. 专业　　　　　　D. 压力

II."事半功倍"和"事倍功半"的区别：

    A. 自己的努力　　B. 不同的方法　　C. 做事的时间　　D. 别人的帮助

参考答案：I. 我认为选择职业的关键在于兴趣，因为……

              II."事半功倍"和"事倍功半"的区别在于方法的不同，……

4 课文

（1）就课文内容，教师将下列问题写在黑板上或用PPT展示（或教师给学生发放问题单）：

课文 1

马克下学期想在哪儿学习？

重新申请时应该做什么？

马克填错了，高老师生气吗？

课文 2

王静想给李进做什么吃？

他们吃上了吗？为什么？

他们最后决定吃什么？

课文 3

安娜为什么没看见马克打招呼？

马克想让安娜做什么？

安娜告诉马克舞蹈动作应该怎么做？

课文 4

马克去年租的房子怎么样？

广告上说的那套房子，马克满意吗？

为什么房东的电话总是占线？

课文 5

　　所有中国人都会功夫和乒乓球吗？

　　为什么人们都很喜欢运动？

　　观看乒乓球比赛时应该注意哪些问题？

（2）要求学生带着问题，听两遍录音并回答问题，教师给出答案；

（3）学生打开课本，教师逐句播放录音，学生看课本听第二次录音并跟读；

（4）教师领读一遍课文；

（5）全班一起大声齐读一遍课文；

（6）请2～3组学生分角色朗读课文，教师正音；

（7）做以下课文扩展练习：

对话课文：教师带领学生根据问题单上问题的答案叙述课文内容，并请学生单个复述。

课文 1

　　马克希望下个学期在这里继续学习，高老师给了他申请表格，让他填出生年月、性别、护照号码等。马克不小心填错了，向高老师道歉。高老师说不用道歉，谁都有粗心的时候。

课文 2

　　王静想给李进做羊肉饺子，她用刀切肉的时候把手弄破了，所以今天他们吃不上羊肉饺子了，李进决定去理发店附近的餐厅买包子。

课文 3

　　马克早上跟安娜打招呼，安娜没看见，因为她忘戴眼镜了，所以看不清楚。安娜中国舞跳得非常好，她告诉马克跳舞是一门艺术，也是一种"语言"。跳舞时，她告诉马克应该先抬胳膊，然后抬腿，最后头再向右转一下。

短文课文：请学生根据课文内容，补全下面的语段，并请学生单个复述朗读。

课文 4

　　马克去年租的房子周围环境太吵，他想换房子。他在……（小区门口）看到一个广告，总的来说，那套房子他很满意。回家后他打……（房东的手机号码），但是电话……（一直占线），第二天他才知道原来他把号码写错了一个数字。

课文 5

　　很多外国人认为所有中国人都会……（功夫和乒乓球），其实只是喜爱这两种运动的中国人比较多。人们常说……（"生命在于运动"），所以很多人一到周末就会到体育馆……（打几场球）。在观看乒乓球比赛时，……（禁止大声讲话）或者离开座位随便走动。

5 扩展

（1）领读"沙发、发生、发展、理发"四个同字词，请学生说一说"发"字在词中的位置、读音和意义。"发"的义项：

　　发（fà）：头发；理发

　　发（fā）：①产生、发生：发生

　　　　　　②扩大、开展：发展

　　　　　　③构成音译词：沙发

（2）请学生说说还有哪些带"发"字的词，教师列在黑板上，如果没有，可补充下列真假同字词，最后请学生判断正误，教师给出正确答案。

　　头发　　　结发　　　　短发　　　毛发

　　发送　　　发开（×）　　发火　　　发出

（3）请学生完成"选词填空"练习，教师给出答案。

　　参考答案：①发生　②沙发　③发展　④理发

⑥ 补充课堂活动

　　请学生4人一组，模仿下面这段话，介绍一种自己熟悉或了解的运动，并请每组派代表介绍一下。

　　生命在于运动。很多人一到周末就到……

　　……这个名字很有意思……

　　在看……比赛时，……

⑦ 文化

教师引导学生了解"饺子的故事"，可根据需求和时间安排，进行以下参考活动：

• 展示图片，认识饺子的形状，介绍饺子和元宝的关系；

• 利用图片介绍中国农历初一、子时，说明饺子与"交子"的联系；

• 利用图片展示意大利饺子和中国饺子的不同，请学生谈谈两者的异同；

• 利用视频展示包饺子的过程，请学生说说包饺子的材料和主要步骤。

⑧ 布置作业

• 每个生词写3遍；

• 根据文化介绍，尝试自己包饺子，并说说包饺子遇到的困难，有条件的同学可在下次课展示自己包的饺子。

20 路上的风景

一、教学内容和教学目标

主题	旅游出行 （1）对话：送机、计划旅游、旅行的收获 （2）短文：中国南北方的差异、旅行的好处
语言点	学生能够了解并掌握： （1）"V＋着＋V＋着"表示一个动作正在进行时出现了另一个动作 （2）"一……就……"表示两件事情紧接着发生；也表示"要是……就……" （3）"究竟"表示追究 ＊辨析"究竟"和"到底"的异同 （4）"起来"用在动词后做趋向补语，表示动作方向从下到上，动作开始并继续，还可表示说话人从某方面评价人或事物 （5）"V＋起"表示动作关涉到某事物
词汇	学生能够： （1）掌握本课 29 个四级大纲词汇的意义和用法 重点词语：航班、推迟、旅行、对面、合格、打扮、存、对话、收拾、出发 （2）了解 1 个非大纲词汇的意义：怪 （3）理解"格"字的组词规律及在词汇中的意义

二、教学步骤

复习旧课

1 使用生词卡片，快速认读下列词语：

出生、道歉、打印、破、理发、
打招呼、抬、转、占线、场、禁止

2 快速回答问题（与第 19 课或学生实际生活有关的问题）：

（1）在填大学的申请表格时，可能要填写哪些信息？
（2）王静想给李进做饺子，最后他们吃上饺子了吗？为什么？
（3）在观看乒乓球比赛时，观众应该注意哪些问题？

3 检查作业：

请 5 名学生介绍一下自己包饺子的情况。

学习新课

1 热身

热身1：学生两人一组，合作完成；教师指出图片，请学生根据图片说出对应的词语，教师核对答案；教师领读热身1的生词；最后全体学生齐读，教师正音。

答案：①E　②F　③C　④B　⑤A　⑥D

热身2：教师带领学生熟悉调查表格的内容；请学生两人一组，调查对方对旅行的态度；请3～5名学生报告调查结果。

2 生词

（1）生词快速认读及正音

课文1（对话）：加油站、航班、推迟、高速公路、登机牌、首都

课文2（对话）：旅行、*怪、可怜、对面、烤鸭、祝贺、合格

课文3（对话）：干杯、民族、打扮、笑话、存、钥匙、究竟

课文4（短文）：棵、汤、对话、普通话

课文5（短文）：小吃、收拾、出发、辣、香、酸

- 教师用PPT或卡片展示并领读生词（带拼音）；
- 取消拼音，带领学生再次认读；
- 逐词（不带拼音）闪现，请学生快速认读生词；
- 请3～5个学生快速随机认读3～5个生词；
- 最后全体学生快速齐读所有生词。

（2）生词讲解方式

直观法（图片、实物）	图片类：加油站（热身图片B）、航班（机场航班时刻表）、高速公路（热身图片A）、登机牌（旅客手拿着的登机牌）、烤鸭（热身图片C）、干杯（热身图片D）、民族（穿着少数民族服装的人）、打扮（女人化妆）、汤、小吃（热身图片F）、出发（拿着行李箱准备出门）、香（香水、热身图片C，教师做"闻"的动作） 实物类：钥匙、对话（利用课文1、2、3，数几个对话，并配合提问：这是谁跟谁的对话？）、辣（一个朝天椒，并配合提问：这是什么味道的？）、酸（一些醋，让学生闻闻，并配合提问：这是什么味道的？）
情景法（肢体动作、语言等）	对面（手指自己，然后指一下对面的学生，并配合提问：老师对面的同学是谁？）
对比法（反义词对比）	存（钱）——取（钱）
替换法（同/近义替换）	旅行（旅游）、究竟（到底）
搭配法	棵（一棵树）
归纳法（归纳相关词语）	首都（北京、东京Tokyo、巴黎Paris、伦敦London……）

（续表）

提问启发	推迟、可怜、祝贺、合格、笑话、普通话 教师提问，引导学生说出句子： 　　虽然到了下课的时间，但我们得把课文学完，晚一会下课。——老师推迟几分钟下课。 　　这个小孩从小没有了妈妈。——这个小孩很可怜。 　　他通过了 HSK 考试，大家都……——大家都祝贺他通过了考试。 　　这次的汉语考试成绩怎么样？——倒是合格了，就是分数不太高，不太理想。 　　马克喜欢开玩笑，经常讲有意思的故事。——马克经常讲笑话。 　　中国不同地方的人都有自己的方言，但当人们在一起时，用什么来互相交流呢？——在中国，不同地方的人用普通话来交流。

（3）字形辨认练习

　　教师用卡片或 PPT 展示，请学生快速辨认并读出，最后给每个字组词。

油—邮　　航—船　　怪—怜

鸭—鸡　　贺—货　　族—放

扮—份　　匙—趣　　辣—速

（4）重点生词扩展及常用搭配

航班—8 点的航班—航班很准时—你去北京的航班是几点的？

推迟—推迟时间 / 航班—推迟一个小时—机场网站上通知航班推迟了一个小时。

旅行—去上海旅行—旅行了一个星期—平时女儿那么多课，总是说想去旅行。

对面—对面的饭店—学校的对面—学校的对面是饭馆儿—中午我们去对面的饭馆儿吃烤鸭吧。

合格—很 / 非常合格—质量 / 成绩合格—祝贺她考试成绩合格。

打扮—打扮打扮—打扮一下—打扮得很漂亮—照片上那个人打扮得真漂亮！

存—存钱 / 包—去银行存钱—存包的地方—有一次我把存包的钥匙丢了。

对话—跟他对话—我和他的对话—在跟上海人对话时，很多话听不懂。

收拾—收拾房间 / 行李箱—收拾得很干净—我已经把行李收拾好了。

出发—7 点出发—出发得很晚—出发去北京—向目的地出发—收拾好行李，带上地图，买张火车票，就向目的地出发。

3 语言点

（1）V + 着 + V + 着

① 语言点解析

　　"V + 着 + V + 着"结构中使用同一个动词，这个动词常为单音节动词。这个结构后面常接另一个动词，表示一个动作正在进行时出现了另一个动作。

② 语言点导入

- 利用热身图片 A，提问导入。

    教师：现在你正在开车去机场，这时你最不希望发生什么事情？

    学生：我最不希望开车时，开着开着没油了。

- 利用图片，提问导入。

    教师展示一个人拿着书睡着了的图片。

    教师：大家看，这个人在看书吗？

    学生：这个人拿着书，看着看着睡着了。

③ 语言点操练

- 利用图片，提问操练。

    教师展示一个人在讲笑话，听的人在笑的图片。

    教师：这个人在讲笑话，他 / 她的笑话有趣吗？

    学生：他 / 她的笑话很有趣，大家听着听着就笑起来了。

- 创设情境，进行操练。

    教师：去那里大概需要两个小时，时间这么长，真是太无聊了。

    学生：没关系，路上我们聊聊天儿，聊着聊着很快就到了。

④ 语言点运用

    根据热身图片 A、D 的内容提示，请学生说说可能发生什么情况。

    图片 A：很多人在高速公路上开车，经过休息区时会停下来休息。

    图片 D：大家聚在一起很高兴，一边聊天儿一边喝酒。

    参考答案：因为在高速公路上长时间开车很累，很多人怕开着开着睡着了，所以要
    停下来休息一下。

    大家聚在一起很高兴，聊着聊着就喝多了。

（2）一……就……

:::表示两件事情紧接着发生:::

① 语言点解析

    "一……就……"结构可表示两件事情紧接着发生。两件事情的主语可以相同，
也可不同。

② 语言点导入

- 联系生活实际，提问导入。

    教师：同学们下课后去干什么呢？

    学生：我们一下课就去食堂吃饭。

- 联系对话 1 的内容，进行导入。

    教师：路上小心，到了北京给我打电话。

    学生：好的，你放心吧。我一到了首都机场就告诉你。

③ 语言点操练

联系生活实际，提问操练。

- 教师：你们计划什么时候回国？

　学生：我已经买好了机票，打算一放假就回国。

- 教师：你大学毕业后想直接工作，还是想继续读博士？

　学生：我一毕业就工作，不想继续读博士了。

④ 语言点运用

请学生根据提示用"一……就……"补全对话，并分角色表演。

　I.　A：有一件事想麻烦你，请你帮我把这个礼物送给安娜。

　　　B：_____。

　II.　A：放了暑假你有什么打算？

　　　B：_____。

　III.A：李进，你大概什么时候能把申请表格传真过来？

　　　B：_____。

参考答案：I.　没问题，我一下班就给她送过去

　　　　　II.　我一放暑假就去旅行，票已经买好了

　　　　　III.您稍等，我一填好就马上给您传真过去

表示"要是……就……"

① 语言点解析

　　"一……就……"，还可表示"要是……就……"的意思，"一"后面的内容表示条件，"就"后面接在前一个条件下产生的情况。两个情况的主语可以相同，也可不同。

② 语言点导入

- 利用热身图片 D，提问、替换导入。

　教师：要是喝多了，你会怎么样？

　学生：我要是喝多了就会头疼。

　教师总结：我一喝多就会头疼。

- 联系生活实际，提问导入。

　教师：怎么能买到质量又好、价格又便宜的衣服呢？

　学生：一到节假日，商场就会举办打折、降价活动，这时买的衣服又便宜又好。

③ 语言点操练

利用热身图片 B、C，提问操练。

- 教师：加油站为什么禁止抽烟？

　学生：因为一遇到火就很容易发生危险。

- 教师：烤鸭非常好吃，要是请他们去吃，他们会同意吧？

　学生：他们一听说吃烤鸭就高兴，肯定会同意的。

④ 语言点运用

请学生根据提示用"一······就······"补全下面的句子，并朗读。

I. 她特别害羞，_____。

II. 很多小孩害怕去医院，_____。

III. 我特别想买那本小说，_____。

参考答案：I. 一说话就脸红

II. 一打针就哭

III. 书一到就请您通知我

（3）究竟

① 语言点解析

"究竟"，副词，用在疑问句或者带疑问词的非疑问句里，表示追究，加强疑问语气，多用于书面语。主语如果是疑问代词，"究竟"只能放在主语前。

② 语言点导入

以旧导新，用"到底"替换导入"究竟"。

- 教师：现在买机票很便宜，你做好决定了吗？放假后到底回不回国？

  教师替换：现在买机票很便宜，你做好决定了吗？放假后究竟回不回国呢？

- 教师：前面站着这么多人，那儿到底发生了什么事情？

  学生替换：前面站着这么多人，那儿究竟发生了什么事情？

③ 语言点操练

联系生活实际，提问操练。

- 教师：香山的红叶特别漂亮，我建议你去看看。

  学生：究竟什么时候去香山看红叶好呢？

- 教师：回答问题时，只要知道答案是什么就可以了吗？

  学生：学习时不仅要知道答案是什么，还要弄清楚答案究竟是怎么来的。

④ 语言点运用

请学生选择"究竟"在句子中恰当的位置。

I. 这次 A 参加面试的一共 B 有 10 个人，大家 C 商量一下 D 谁最适合这个工作。

II. 过程和结果 A 哪个 B 更重要，其实 C 没有标准答案，不同的人 D 有不同的看法。

III. 请您再 A 稍微等一下，王医生 B 什么时候 C 回来我们也不是 D 特别清楚。

参考答案：I. D II. A III. B

⑤ 比一比：究竟—到底

按照教材中的辨析步骤进行。

（4）起来

① 语言点解析

"起来"，动词，引申表示说话人从某方面评价人或事物。

② 语言点导入

利用视频或音频（一段上海话），提问导入。

- 教师：这是个上海人，他／她说的上海话你能听懂吗？

  学生：听不懂。

  教师：像不像我们学习的汉语？

  学生：上海话听起来不像汉语。

- 教师：这次唱歌比赛，我建议你唱这个歌，最近很多人喜欢听。

  学生：这个歌听起来很好听，但是唱起来比较难，还是算了吧。

③ 语言点操练

联系生活实际或创设情境，提问操练。

- 教师：看中国人用筷子吃饭，你觉得用筷子容易吗？

  学生：看起来很容易，但是用起来挺难的。

- 教师：快说说这个菜我做得怎么样？

  学生：这个菜吃起来有点儿咸，你是不是盐放多了。

④ 语言点运用

参考热身图片 F，根据提示评价一下这些小吃。

提示内容：I. 看，好吃　　　　II. 尝，味道特别

　　　　　III. 做，复杂　　　　IV. 学，难

参考答案：I. 这些小吃，看起来特别好吃。

　　　　　II. 尝起来，觉得味道很特别，好像是用……做的。

　　　　　III. 我猜这些小吃做起来一定很复杂。

　　　　　IV. 对我来说，做这些小吃学起来有点儿难。

（5）V + 起

① 语言点解析

　　"V + 起"结构表示动作关涉到某事物。动词一般是"说、谈、讲、问、提、聊、回忆"等少数及物动词。"V + 起"后面一般都有名词。

② 语言点导入

- 利用图片，提问导入。

  教师展示臭豆腐以及其他中国小吃的图片。

教师：大家都吃过中国小吃，说起小吃，我最爱吃臭豆腐，你呢？

学生：说起小吃，我最爱吃……

- 创设情境，提问导入。

教师：这件事情我现在还不想让别人知道。

学生：好的，要是别人问起，我就说不知道。

教师总结一下能跟"起"搭配的常用动词，并用PPT列出或写在黑板上。

说
谈
讲
问   ＋ 起，……
提
聊
回忆
介绍

③ 语言点操练

联系生活实际，提问操练。

- 教师：就要考试了，你们准备得怎么样了？

学生：提起考试，我就有点儿紧张，担心通过不了。

- 教师：那些男同学怎么那么兴奋呢？

学生：聊起足球，他们都兴奋得停不下来了。

④ 语言点运用

请学生选择恰当的动词。

A.介绍　　B.回忆　　C.问

I. 一（　　）起小时候的事情，他就会开心地笑起来。

II. 要是有人（　　）起开会的时间，你就告诉他。

III. 那个导游对这里非常了解，一（　　）起景点的历史，就有说不完的话。

参考答案：I. B　II. C　III. A

4 课文

（1）就课文内容，教师将下列问题写在黑板上或用PPT展示（或教师给学生发放问题单）：

课文 1

路上有加油站吗？在哪儿？

小张的航班是几点的？

加完油怎么上高速公路？

课文 2

女儿经常去旅行吗？

这次放假他们全家准备去哪儿旅行？

他们决定什么时候告诉女儿去旅行的消息？

课文 3

照片上那个人是谁？

那个人是一个有趣的人吗？为什么？

安娜把什么丢了？最后是怎么找到的？

课文 4

冬天坐火车从北方到南方，窗外的景色有什么变化？

南方的汤有哪些特点？

南方话跟北方话一样吗？容易听懂吗？

课文 5

放假的时候，她会去做什么？

什么小吃给她的印象最深？

湖南菜的辣与其他地方的辣有哪些不同？

（2）要求学生带着问题听两遍录音并回答问题，教师给出答案；

（3）学生打开课本，教师逐句播放录音，学生看课本听第二次录音并跟读；

（4）教师领读一遍课文；

（5）全班一起大声齐读一遍课文；

（6）请 2～3 组学生分角色朗读课文，教师正音；

（7）做以下课文扩展练习：

对话课文：教师带领学生根据问题单上问题的答案叙述课文内容，并请学生单个复述。

课文 1

长江大桥附近有一个加油站，他们准备去加油。小张的航班本来是 10 点的，现在推迟了一个小时，所以 8 点到应该没问题。加完油，往西走五百米就能上高速公路，走高速公路大约半小时就能到了。

课文 2

平时女儿那么多课，总是说想去旅行，但是没时间，怪可怜的。这次放假他们要带女儿去广西玩儿一趟。中午他们要去对面的饭店吃烤鸭，祝贺女儿考试成绩都合格，那时候会告诉女儿去旅游的好消息。

课文 3

照片上和安娜干杯的那个人不是少数民族，是安娜的导游，她打扮得很漂亮。一路上她给安娜他们讲了很多笑话。有一次安娜把存包的钥匙丢了，最后她帮安娜找到了。

短文课文：请学生根据课文内容，补全下面的语段，并请学生单个复述朗读。

课文 4

如果从北方坐火车到南方去旅游，你会看到窗外的树……（一棵一棵地变绿）。南方菜很有特点，特别是它的汤，……（味道鲜美）。南方和北方的语言也有很大不同，比如你跟……（上海人对话）时，会发现上海话听起来就……（像外语一样）。

课文 5

放假的时候，我会……（收拾好行李），带上地图，买张火车票，就……（向目的地出发）。……（说起小吃），给我印象最深的是湖南菜。湖南菜的特点就是辣，与其他地方的辣不同，湖南菜的辣主要是咸辣、……（香辣和酸辣）。

5 扩展

（1）领读"性格、价格、表格、合格、严格"五个同字词，请学生说一说"格"字在词中的位置和意义。"格"的义项：

① 品质、风度：性格

② 规格、格式：合格、严格、价格

③ 格子：表格

（2）请学生说说还有哪些带"格"字的词，教师列在黑板上，如果没有，可补充下列真假同字词，最后请学生判断正误，教师给出正确答案。

格子　　格屋（×）　　格外　　　　格式

风格　　资格　　　　明格（×）　　及格

（3）请学生完成"选词填空"练习，教师给出答案。

参考答案：①表格　②合格　③价格　④严格　⑤性格

6 补充课堂活动

请学生4人一组，参考课文3、课文4、课文5的内容，准备一段关于丽江的介绍，让更多的人来丽江旅游，最后请每组的代表给全班介绍一下。

7 文化

教师引导学生了解中国的少数民族，可根据需求和时间安排，进行以下参考活动：

• 展示图片，认识中国主要的几个少数民族；
• 认识少数民族的服装、艺术文化、食品、节日、语言文字；
• 利用人民币实物，请学生猜一猜人民币上的文字属于哪个少数民族；
• 请学生介绍一下自己国家的民族情况。

8 布置作业

• 每个生词写3遍；
• 选择一个旅行人物的照片，介绍一下他／她，大约2分钟。

练习册听力文本及参考答案

第11课　读书好，读好书，好读书

一、听力

第一部分

第1—5题：判断对错。

例如：我想去办个信用卡，今天下午你有时间吗？陪我去一趟银行？
　　　★ 他打算下午去银行。

　　　现在我很少看电视，其中一个原因是，广告太多了，不管什么时间，也不管什么节目，
　　　只要你打开电视，总能看到那么多的广告，浪费我的时间。
　　　★ 他喜欢看电视广告。

1. 这次调查发现，超过70％的儿童更愿意让爸爸给自己读书。为什么会出现这种情况？可能是
   因为父亲平时陪孩子玩儿的时间太少。
   ★ 大多数孩子喜欢爸爸给他读书。

2. 等车的时候，我随便买了本杂志，看了没几页，就看到一个小故事，虽然这个故事不长，但
   是写得却很好，让我很感动。
   ★ 他被那个故事感动了。

3. 多与人交流当然有很多好处。通过交流，你不但可以增加对别人的了解，而且可以从不同的
   人那里得到不同的知识、经验、快乐等。
   ★ 要多跟人交流。

4. 经过这段时间的学习，他的汉语水平提高了不少，不但可以听懂一些较短的句子，还可以进
   行简单的交流，现在即使不用翻译也能理解是什么意思了。
   ★ 他现在是翻译。

5. 老教授对新生说："从今天起，如果你每天用100个字把自己的生活写下来，毕业时你将会得
   到一本10多万字的书，内容就是你4年大学生活的美好回忆。"
   ★ 老师让大家留下美好的回忆。

第二部分

第6—12题：请选出正确答案。

例如：
　　女：该加油了，去机场的路上有加油站吗？
　　男：有，你放心吧。
　　问：男的主要是什么意思？

6. 女：我女儿明年要考大学了，你觉得是学校重要还是专业重要？

　　男：我觉得主要得考虑孩子喜欢学什么。

　　问：男的认为考大学什么最重要？

7. 男：这个填空题不是很复杂，你再好好想一下。

　　女：今天上课的时候我没听懂，而且填空题连猜都没办法猜，你教我怎么做吧。

　　问：女的为什么不会做这个题？

8. 女：我记得上次关教授把他的手机号码给我了，可是不知道写哪儿了。

　　男：你当时好像是在记笔记，你看看是不是写在那儿上面了。

　　问：女的在找什么？

9. 男：您好，请问我能换一下面试的时间吗？我家里突然有点儿急事儿。

　　女：对不起，先生，面试都是按顺序安排好的。

　　问：女的是什么意思？

10. 男：英语课笔记能借我看一下吗？昨天课上增加了好多新词，我记得不太准确。

　　女：可以，最后几页都是昨天课上讲的主要的词语和语法内容。

　　问：男的为什么向女的借笔记？

11. 男：我昨天买的那本小说哪儿去了？我记得放在桌子上了。

　　女：奇怪，你一般连报纸都不买，什么时候开始有兴趣看书了啊？

　　问：女的什么意思？

12. 男：只差一点儿就赢了，他现在肯定很难过。

　　女：他已经打出了自己最好的水平，无论结果怎么样，我们都应该为他高兴。

　　问：女的是什么意思？

第三部分

第 13—22 题：请选出正确答案。

例如：

　　男：把这个材料复印 5 份，一会儿拿到会议室发给大家。

　　女：好的。会议是下午三点吗？

　　男：改了。三点半，推迟了半个小时。

　　女：好，602 会议室没变吧？

　　男：对，没变。

　　问：会议几点开始？

13. 女：那个题的答案有问题吧？

　　男：你是说那个填空题吗？

　　女：是啊，这里填"举办""举行"都可以。

　　男：对，这个题有问题，得重新改改。

　　问：那个题怎么了？

14. 女：你的汉语说得很流利，词语用得很丰富。

　　男：真的吗？谢谢！其实没你说得那么厉害。

女：你学汉语多长时间了？

男：差不多有三年了吧。

问：关于男的，可以知道：

15. 男：复习得怎么样了？

女：材料这么多，我估计看不完了。

男：来得及，复习要注意方法，看主要内容。

女：只能这样了，这些语法知识太难了。

问：男的认为应该怎么复习？

16. 男：妈妈，后面这几页书我明天再看行吗？

女：别养成坏习惯，记住，今天能完成的事情一定不要留到明天做。

男：那您快把刚才没吃完的蛋糕拿出来，我现在就把它吃光！

女：你这孩子，就知道吃。

问：妈妈让孩子做什么？

17. 女：打扰一下，请问李校长在吗？

男：他去吃午饭了，您有什么事情吗？

女：我有些材料要交给他，你知道他什么时候回来吗？

男：他应该很快就会回来了，您等等他吧。

问：女的找李校长做什么？

18. 女：现在哪种体育杂志比较好看呢？

男：你知道《体育世界》吗？那个杂志的内容比较精彩，图片很漂亮，很吸引人。

女：我怎么听说买那本杂志的人很少呢？

男：主要是它价格定得太高。不少人虽然喜欢，但因为觉得太贵只好放弃了。

问：这个杂志没有以下哪个特点？

第 19 到 20 题是根据下面一段话：

对新闻工作者来说，获得及时准确的消息特别重要。除此之外，还要学会选择，因为生活中每天都会发生各种各样的事情，但不是所有的都值得写在报纸上，只有那些热点问题才会得到大家的注意和关心。

19. 根据这段话，新闻工作者要学会什么？

20. 根据这段话，哪些消息应该写在报纸上？

第 21 到 22 题是根据下面一段话：

我来中国差不多一年了，大家都说我的中文很流利。有不少人问我是怎么做到的，其实我的方法很简单，就是多交一些中国朋友，经常和他们聊天儿。还有，遇到不认识的词语，我会马上查词典，然后写在笔记本上，有空儿就复习复习。这样慢慢积累，我的听说读写能力都得到了很大的提高。

21. 关于说话人，下列哪个正确？

22. 遇到不认识的词，说话人会怎么办？

参考答案

一、听力

1—5： ✓ ✓ ✓ ✗ ✓

6—12： C C D C B C A

13—22： B B C C A

C B D B C

二、阅读

23—26： B C E A

27—30： B D A E

31—34： ACB CBA BAC CAB

35—43： C B C A C D B B C

三、书写

44. 你在使用之前要仔细阅读说明书。

45. 这本小说一共二百多页。

46. 我们把简单的事情想复杂了。

47. 很多人开始注意那篇文章。

48. 这种方法能有效地减轻压力。

49. 昨天的足球比赛他们踢得真是太精彩了！

50. 爸爸妈妈应该帮孩子养成爱阅读的好习惯。

第 12 课　用心发现世界

一、听力

第一部分

第 1—5 题：判断对错。

1. 我认真考虑了一个晚上，也打电话和父母商量过了，最后还是决定不去那家公司了。我想继续留在北京，看看还有没有别的机会。
★ 他决定离开北京。

2. 不管做什么事情，提前做计划总是好的。每一步应该做什么、怎么做，不用安排得特别详细，但必须差不多有一个想法。
★ 做计划一定要很详细。

3. 搬家时，我发现了很多以前买的却一次也没用过的东西。不要了吧，觉得可惜；留着吧，估计以后也用不到。我以后再也不乱买东西了。
★ 他不想再乱买东西了。

4. 现在越来越多的人选择上网看新闻，因为这样很方便，而且能更及时地获得消息，网上的新闻内容也更详细、丰富。
★ 现在人们更喜欢看报纸。

5. 无论做什么事都要注意方法，正确的方法可以帮我们节约时间。如果方法不对，可能花五倍甚至十倍的时间都不能完成任务。
★ 做事情方法很重要。

第二部分

第 6—12 题：请选出正确答案。

6. 男：箱子里面放的是什么啊？要是再重一点儿，连我也拿不动了。
女：是我从网上买的盘子和勺子。咱们家就你力气大，你拿肯定没问题。
问：根据对话，可以知道男的怎样？

7. 男：真可惜，这个球差一点儿就踢进了。
女：是呀，还有不到一分钟时间，马上就结束了，看来没机会再赢球了。
问：根据对话，下列哪个正确？

8. 男：怎样才能说一口流利的外语呢？
女：如果你会一点儿外语，并且有一定的经济条件，那么出国学习是最好的选择，因为语言环境对学习语言有很重要的作用。
问：女的觉得应该去国外学习外语是因为什么？

9. 男：那件事情，我们一直以为都是李丽的错，但后来才发现，是我们误会她了。
   女：是的，那件事不应该让她负全部的责任。
   问：关于李丽，下列哪个正确？

10. 男：王红刚搬来没几天，这里熟人不多，也不太了解周围的环境，有时间你多陪她上街逛逛。
    女：放心，我下午就带她出去走走。
    问：关于王红，下列哪个正确？

11. 男：这次会议地点改到北京饭店，你通知马教授了吗？
    女：我都快为这事急死了，他的电话一直无法接通，下午我准备直接去学校告诉他。
    问：女的下午可能做什么？

12. 男：有了钱你想买什么就买什么，就能过自己想要的生活，我觉得金钱比其他的都重要。
    女：我不这么认为。钱花光了可以再赚，可是一个人再怎么有钱，也买不到时间，时间才是无价的。
    问：下列哪个是女的的看法？

第三部分

第13—22题：请选出正确答案。

13. 男：我今天用新买的相机照了几张相，你看，照片是不是不清楚？
    女：这么贵的相机，怎么会呢？
    男：也许是我对它不熟悉，还不太会用。
    女：那你好好儿看看说明书，仔细研究一下吧。
    问：关于男的，下列哪个正确？

14. 女：先生，这是您的房卡，请拿好。
    男：谢谢！我的行李箱在哪儿取呢？
    女：我们一会儿会直接送到您的房间。
    男：谢谢！麻烦你们了。
    女：不客气。
    问：女的最可能是做什么的？

15. 男：明天上午学校有个招聘会，你去不去？
    女：我明早有一节课，估计赶不上。
    男：招聘会十点开始，你几点下课？
    女：九点五十，那我还来得及。
    问：关于女的，下列哪个正确？

16. 男：小李，听说你母亲是一位律师？
    女：是啊。
    男：真让人羡慕！我本来也想学法律专业的，可惜没考上。
    女：其实干什么工作都一样，只要用心，都能干好。
    问：男的以前想做什么职业？

17. 女：他不是叫"王明"吗？我怎么总听你们叫他"老猫"呢？
　　男："老猫"是他的外号，因为他上课总爱睡觉，所以大家就给他起了这个名字。
　　女：他不会不高兴吗？
　　男：没关系，我们经常一起开玩笑，一般只在熟悉的人面前才这么叫他。
　　问：关于女的，下列哪个正确？

18. 女：我们坐出租车去机场？
　　男：现在路上堵车，坐出租车去，我担心时间会来不及。
　　女：那怎么办？坐地铁去？
　　男：还有两个多小时，坐地铁应该来得及。
　　问：男的打算怎么去机场？

第 19 到 20 题是根据下面一段话：
　　说话是最容易的事，也是最难的事。因此，有的人认为我们应该少说话多做事。实际上，这种想法也不对。相反，成功离不开交流，交流自然需要说话。会说话的人更容易交到朋友，也更容易获得成功。
　　19. 什么样的人更容易交到朋友？
　　20. 说话人对"少说话多做事"是什么态度？

第 21 到 22 题是根据下面一段话：
　　张经理和司机约好每天早上七点来接他上班，可是司机经常迟到。这天，司机又迟到了十几分钟，他感到很不好意思，所以向张经理解释说，他的手表又出问题了。张经理回答说："你应该换一块儿表了，否则，我就要换一个司机了。"
　　21. 关于司机，可以知道什么？
　　22. 张经理的话是什么意思？

参考答案

一、听力
　　1—5： ✕ ✕ ✓ ✕ ✓
　　6—12： C D A B D D D
　　13—22： A D D A D
　　　　　　 A C B A C

二、阅读
　　23—26： E C B A
　　27—30： D A B E
　　31—34： BCA CAB ACB ACB
　　35—43： A A C D C D A D B

三、书写
　　44. 对于这件事，他们的看法完全相反。/他们对于这件事的看法完全相反。
　　45. 树上的叶子已经掉光了。
　　46. 网上的一条消息引起了警察的注意。
　　47. 今天做的菜盐放多了。
　　48. 他对我的态度非常友好。
　　49. 保护环境是我们每个人的责任。
　　50. 他仔细地看着那张画儿，好像想到了什么。

第 13 课　喝着茶看京剧

一、听力

第一部分

第 1—5 题：判断对错。

1. 虽然演出八点才开始，但是差一刻八点观众就不能进场了，我们还是早点儿去吧。
   ★ 演出已经结束了。

2. 由于时间关系，这份材料我就不向大家详细介绍了，我只对其中重要的部分简单说明一下。有什么问题，大家一会儿可以讨论。
   ★ 他介绍得很详细。

3. 我问过大家了，三分之二的同学都去过植物园，所以这次春游得换个地方了。咱们明天开个班会商量一下去哪儿玩儿吧。
   ★ 他们决定不去植物园了。

4. 回忆过去，有苦也有甜，有伤心、难过，也有幸福、愉快，有很多故事让人难以忘记，有很多经验值得我们总结。
   ★ 应该总结过去的经验。

5. 大家请注意，现在休息十五分钟，十点半会议继续进行。我们为大家准备了饮料和蛋糕，就在门口的桌子上。
   ★ 现在是十点一刻。

第二部分

第 6—12 题：请选出正确答案。

6. 男：我觉得这个节目越来越无聊了。
   女：是啊，前几期还可以，现在看的人也越来越少了。
   问：关于那个电视节目，可以知道什么？

7. 男：怎么了？身体不舒服吗？去医院看看吧。
   女：我只是感冒，头稍微有点儿疼，不严重，休息休息就好了。
   问：女的怎么了？

8. 男：这本小说有四百多页，你竟然一天就看完了？
   女：这书虽然厚，但写得很有趣，所以看起来很快。
   问：女的觉得那本小说怎么样？

9. 男：下个礼拜天是他的生日，那时候再把这个好消息告诉他不是更好？
   女：好主意，到时他知道了肯定特别开心。
   问：他们准备什么时候告诉他好消息？

10. 女：听说这次公司举办的活动会邀请许多著名的演员来表演，是真的吗？都有谁呢？
    男：我只知道下周还是在会议中心举行，这次活动是小张负责的，你可以去问问他。
    问：关于这次活动，女的想知道什么？

11. 男：孙叔叔邀请我们去他家做客，我们带点儿什么礼物好呢？
    女：我记得他和邻居王阿姨、李大夫一样，最爱喝茶了，我们去买点儿绿茶吧。
    问：他们要去谁家做客？

12. 女：王校长，这次去上海开会一切都顺利吧？
    男：会议进行得很顺利，来自全国各地的人特别多，但安排得很好，这次我还顺便在上海玩
        儿了两天。
    问：根据对话，男的：

第三部分

第 13—22 题：请选出正确答案。

13. 女：先生，给您，您的房间在六零二。
    男：谢谢。请问附近有银行吗？
    女：有一个银行，您出门向右走大约五百米就能看到，就在路北边。
    男：好，谢谢你。
    问：他们现在最可能在哪儿？

14. 女：你们的表演精彩极了！
    男：真的吗？当时我们别提多紧张了。
    女：你们表演完很多观众都高兴地站起来为你们叫好呢。
    男：谢谢您的支持。
    问：他们在谈什么？

15. 男：咱们在这儿稍微休息一下吧，我没力气爬了。
    女：一看就知道你不经常锻炼。
    男：是啊，我好久没运动了。
    女：那你先坐会儿，我去那边买两瓶水。
    问：关于男的，下列哪个正确？

16. 男：这次一共有多少个学生去听音乐会？
    女：和上次看京剧的人差不多，大约二十个。
    男：好的，这次谁跟着去？
    女：我和国际交流处的王老师一块儿去。
    问：他们准备安排学生做什么？

17. 女：喂，我到国家图书馆了，你在哪儿？
    男：我还在地铁里，大概十分钟就到了。
    女：好，你到了就从西北口出来吧，我在那儿等你。
    男：好的，一会儿见。
    问：他们在哪儿见面？

18. 女：你对我们国家的文化了解多少？
    男：我喜欢喝中国茶，还爱听京剧，我觉得京剧很有特点。
    女：你还喜欢京剧啊？
    男：你不相信吗？我不仅喜欢，还能唱上几句呢。
    问：关于男的，下列哪个不正确？

第 19 到 20 题是根据下面一段话：
    我在国外留学时，有一次在一家中国饭馆儿吃饭，看到放筷子的纸袋上提供了使用筷子的详细说明。头一次看见关于筷子的使用说明，让我觉得非常新鲜。因为对中国人来说，使用筷子实在是再熟悉不过的事了。
    19. 看到筷子的使用说明，说话人感觉怎么样？
    20. 关于说话人，可以知道什么？

第 21 到 22 题是根据下面一段话：
    有些人喜欢为自己的生活做长远的计划。但是，随着一天一天地长大，我们会发现生活总是在不停地变化，生活往往不会按照定好的计划来进行。因此，光有计划还不够，还需要我们能及时地做出改变。只有这样，才能更好地适应生活。
    21. 长大以后，人们会发现生活怎么样？
    22. 怎样才能更好地适应生活？

参考答案

一、听力
    1—5： × × √ √ √
    6—12： C B B B C A C
    13—22： A C B A B
            D B B C D

二、阅读
    23—26： C A E B
    27—30： D E A B
    31—34： BCA ABC BAC ACB
    35—43： D B A D C C D C A

三、书写
    44. 那本杂志的内容十分丰富。
    45. 你的申请材料寄出去了吗？
    46. 他是 20 世纪最有名的演员。
    47. 他说的问题超出了讨论的内容。
    48. 电脑终于又能正常工作了。
    49. 他们俩是中国著名的京剧演员，很多观众都非常喜欢他们。
    50. 这个题要求我们判断是正确还是错误。

第14课 保护地球母亲

一、听力

第一部分

第1—5题：判断对错。

1. 虽然我建议这次演出的事情让小黄来负责，可是大家觉得他太年轻，担心他经验不够。
   ★ 大家同意我的看法。

2. 为了减少塑料袋给环境带来的污染，现在超市不再提供免费塑料袋，有需要的顾客，可以向超市购买。
   ★ 超市提供免费塑料袋。

3. 年轻就是健康，年轻就是美丽。不要太担心胖瘦，也不要太关心自己长得是不是漂亮、是不是帅，年轻人最重要的是要对自己有信心。
   ★ 年轻人应该相信自己。

4. 虽然还有一部分宾馆会向客人提供免费的毛巾、牙膏和牙刷，但是每次出差，她都会自己带这些东西，很少用宾馆里的。
   ★ 她不愿意用宾馆的毛巾。

5. 舞会上最好不要直接拒绝别人的邀请，如果不得不拒绝，可以告诉他："我有些累了，想休息一下。"之后也不要很快又接受其他人的邀请。
   ★ 舞会上不要直接拒绝邀请。

第二部分

第6—12题：请选出正确答案。

6. 女：你的房间实在是太脏了，快找时间好好儿打扫一下吧。
   男：行，我午饭前一定打扫干净。
   问：那个房间怎么样？

7. 男：我们是去爬山，你拿塑料袋干什么？
   女：我担心山上没有垃圾桶，总不能乱扔垃圾啊。
   问：女的为什么要拿塑料袋？

8. 男：小夏，这次的调查结果出来了吗？
   女：出来了，表示愿意参加环保活动的人达到百分之九十，只有百分之四的人回答说不感兴趣。
   问：关于这次调查，可以知道什么？

9. 男：这个盒子还有用吗？没用我就扔垃圾桶里了。
   女：别扔，正好可以用它来放网球。
   问：女的对那个盒子是什么意见？

10. 女：王先生，上星期跟您约好明天见面，您还记得吧？

    男：张小姐，我刚刚接到通知，明天要出差，很抱歉，等我回来以后再跟您联系，我下周一回来。

    问：关于王先生，可以知道什么？

11. 男：牙膏用完了，家里还有新的吗？

    女：有，我上午刚买的，就在那个塑料袋里。

    问：男的想要什么？

12. 男：太失败了，我怎么觉得自己什么事儿都做不好呢？

    女：不管做什么事情，在做之前，至少要考虑三点：首先，你的目的是什么？其次，你的方法是什么？第三，你计划中的结果是什么样子？

    问：女的没提到什么？

第三部分

第 13—22 题：请选出正确答案。

13. 男：你再试试白色的。

    女：我觉得这双就挺舒服的，大小也可以。

    男：白色的更漂亮。

    女：不试了，白色的容易脏，还是黑色的好。

    问：女的觉得白色的怎么样？

14. 男：真抱歉，本来我该去火车站接你的。

    女：没关系，我打个车就回来了，很方便。你那篇材料写完没有？

    男：差不多了，我再检查一遍，就可以交了。

    女：那你快写吧。

    问：根据对话，可以知道什么？

15. 男：你们这个月空调卖得怎么样？

    女：挺好的，一共卖了四百多台，几乎是上个月的两倍。

    男：天气热了，自然就卖得好一些。

    女：这是一方面，另外一个原因是商场现在有"以旧换新"的活动，吸引了不少顾客。

    问：根据对话，下列哪个正确？

16. 女：怎么回事？你怎么不开灯？

    男：我也是刚进门，刚发现灯不亮，是不是停电了？

    女：应该不会，邻居家的灯都亮着呢。

    男：那就是灯坏了。

    问：根据对话，下列哪个正确？

17. 男：姐，我要出几天差，你能帮我照顾一下我的狗吗？

    女：当然可以。你要去几天？

    男：来回一共四天，我星期六就回来。你记得每天要带它出去玩儿。

    女：放心吧，我会照顾好它的。

    问：男的为什么让姐姐照顾他的狗？

18. 男：妈，我去打篮球了。

女：等一下，你帮我把这袋垃圾扔到楼下。

男：好的。

女：带手机了吗？早点儿回来。

问：男的最可能去哪儿？

第 19 到 20 题是根据下面一段话：

在北京，坐地铁很方便。很多人都选择坐地铁上下班，一方面是考虑到地铁速度快，并且不会堵车，不用担心上班会迟到；另一方面地铁也不算贵，跟别的城市差不多，距离不同、票价也不同，最低三块。如果使用"一卡通"，每个月超过 100 块，还会打八折，这样就更便宜了。

19. 这段话主要介绍什么？

20. 北京地铁票最低多少钱？

第 21 到 22 题是根据下面一段话：

"习惯成自然"这句话是说，一件事我们做的次数越多，就会越熟悉，习惯就会慢慢地养成。其实，养成一个好习惯并没有我们想得那么难。比如说运动，不少人刚开始运动时，会感觉十分无聊，于是很快就放弃了。但坚持下来的人会告诉你："只要坚持一段时间，你会发现，运动已成为你生活中不可缺少的一部分。"

21. 刚开始运动时，很多人会觉得怎么样？

22. 对于养成好习惯，说话人觉得怎么样？

参考答案

一、听力

1—5： × × ✓ ✓ ✓

6—12： B C D A D B C

13—22： D B C D C

D D A B A

二、阅读

23—26： B C E A

27—30： D E A B

31—34： ACB BCA BAC BCA

35—43： D A A B D B D B B

三、书写

44. 要养成节约用水的好习惯。

45. 他生活在一个美丽的小城市。

46. 这篇新闻引起了人们的关注。

47. 请把香蕉皮扔进垃圾桶里。

48. 不使用塑料袋是为了减少污染。

49. 请不要乱扔垃圾，这样会污染环境。

50. 上下班时间乘坐地铁的人非常多。

第 15 课　教育孩子的艺术

一、听力

第一部分

第 1—5 题：判断对错。

1. 经历过那次失败后，他改变了许多，不再像以前那么粗心了，大家都说他现在做事仔细多了。
　★ 他做事比过去仔细了。

2. 你的那双袜子破了，我把它扔掉了。我给你买了一双新的，放在沙发上了，你试一下，看看合适不合适。
　★ 沙发上的袜子是旧的。

3. 昨天晚上我一直工作到很晚才睡，结果今天早上手机响我完全没听到，醒的时候已经九点了。
　★ 他今天六点就起床了。

4. 大人有时会羡慕孩子，因为孩子的世界没有那么复杂，所以他们总是很快乐。同时，孩子也是最诚实的，不会怀疑别人，更不会去骗人。
　★ 孩子更容易获得快乐。

5. 父母对孩子必须做到言而有信，一定要说到做到。如果实在做不到，就应向孩子说对不起，并解释原因，否则孩子会认为你在骗他。
　★ 父母对孩子要讲信用。

第二部分

第 6—12 题：请选出正确答案。

6. 女：你怎么咳嗽得越来越厉害了？吃药了吗？
　男：吃了，好像不太管用，我明天还是去医院打针吧。
　问：男的怎么了？

7. 男：我发现你的东西没多少啊。
　女：这些只是三分之一，还有很多还没来得及整理呢，下周再搬。
　问：关于女的，下列哪个正确？

8. 女：如果再让我来选择一次，肯定不选现在的工作。真羡慕你每年都有一个寒假和一个暑假。
　男：我当时选择这个职业时可没考虑这个，只是因为喜欢和孩子们在一起。
　问：男的最可能是做什么的？

9. 男：小姐，请问多少钱一张票？
　女：您好，您的六十，70 岁以上老人免费，您孩子买儿童票，半价。
　问：男的的票多少钱一张？

10. 男：你真是太懒了，再不起床就要迟到了。
    女：我眼睛有点儿疼，让我再躺一会儿吧。
    问：女的怎么了？

11. 男：很多学者认为，父母应该经常表扬孩子，鼓励他们。
    女：没错，批评对孩子的发展没什么好处。
    问：他们在谈论什么？

12. 男：王教授，您的小孙女真可爱，但是好像不太爱说话。
    女：也许是因为第一次跟你见面，还不太熟，有些害羞。她平时不是这样的，话特别多。
    问：王教授的孙女今天怎么了？

第三部分

第 13—22 题：请选出正确答案。

13. 女：没想到你钢琴弹得这么好，真让人羡慕。
    男：我从六岁开始学，养成了每天练琴的习惯。
    女：一开始学琴的时候很苦吧？
    男：是，万事开头难，后来慢慢就好了。
    问：关于男的，下列哪个正确？

14. 男：张阿姨，这是您孙子的照片？
    女：对，这是他刚一个月时的照片，现在一岁零四个月了。
    男：真可爱，会说话了吗？
    女：会叫爸爸妈妈了，也能说一些简单的词。
    问：关于张阿姨的孙子，可以知道什么？

15. 女：师傅，去机场。我赶飞机，麻烦您开快点儿。
    男：好的，您几点的飞机？
    女：两点，来得及吗？
    男：没问题，保证一点之前就把您送到。
    问：关于女的，可以知道什么？

16. 男：喂，你在哪儿？我敲了半天门，怎么没人在家？
    女：我和孩子在花园里玩儿呢，你不是说要到九点才回来吗？
    男：工作提前做完了。你们什么时候回来？
    女：这就回去，你再等一会儿。
    问：关于男的，下列哪个正确？

17. 女：你的衬衫怎么了？
    男：喝咖啡时不小心弄脏了。
    女：我正好要洗衣服，你脱下来一起洗了吧。
    男：好的。
    问：那件衬衫怎么了？

18. 女：打扰一下，请问您是李老师吗？

　　男：对，你是……

　　女：您好，我是谢教授的学生，他让我过来取材料。

　　男：你先坐一下，等几分钟，我马上就整理完了。

　　女：好的。

　　问：女的找李老师做什么？

第 19 到 20 题是根据下面一段话：

　　女儿过去花钱很随便，但从她开始工作、知道赚钱的辛苦后，就变得懂事多了，她开始学着管理自己的工资，把每天花的钱都记下来，提醒自己要节约，还对我说以后再也不乱花钱了。

　　19. 关于女儿，下列哪个不正确？

　　20. 女儿有什么变化？

第 21 到 22 题是根据下面一段话：

　　教育不同性格的孩子要使用不同的办法：对那些活泼的孩子要经常告诉他们哪些事情不能做；对那些害羞的孩子要经常鼓励他们说出自己的看法，当他们这样做了以后，要表扬他们，这样才能让每一个孩子都健康地发展。

　　21. 根据这段话，教育孩子要考虑哪方面的不同？

　　22. 这段话主要谈什么？

参考答案

一、听力

　　1—5：　✓　×　×　✓　✓

　　6—12：D　D　B　A　C　A　C

　　13—22：C　D　C　C　A

　　　　　　A　A　C　A　B

二、阅读

　　23—26：E　A　B　C

　　27—30：B　A　E　D

　　31—34：BAC　ACB　CBA　BAC

　　35—43：D　D　D　B　D　C　D　A　D

三、书写

44. 他被外面的敲门声吵醒了。

45. 好玩儿的游戏更容易被儿童接受。

46. 儿子把行李箱的钥匙弄丢了。

47. 孙子的复习笔记整理得很详细。

48. 王护士给儿童打针的经验特别丰富。

49. 我们每次去外地旅游，都是妻子负责整理行李箱。

50. 一直往前走 10 米左右就是卫生间。

第16课　生活可以更美好

一、听力

第一部分

第1—5题：判断对错。

1. 办签证需要准备哪些材料，我也不太清楚，不过我有大使馆的电话号码，我可以帮你问一下。
　　★ 他知道怎么办签证。

2. 只有通过了考试，完全符合要求后，护士才能正式开始工作。医院对护士这一职业的要求是：专业、负责、尊重生命。
　　★ 护士工作前要通过考试。

3. 第一次跟女朋友见面的时候，他紧张极了，脸和耳朵都红了，几乎不敢看女朋友的眼睛。
　　★ 他第一次见女朋友时很放松。

4. 这篇文章你还得拿回去好好改改，主要是内容有点儿乱，重点不够清楚，另外，有几个句子还有语法问题。
　　★ 那篇文章写得很精彩。

5. 受到批评时，也别伤心失望，谁都有做错事或者做得不够好的时候。只要不放弃努力，你就仍然有希望。
　　★ 做得不好时别失望。

第二部分

第6—12题：请选出正确答案。

6. 男：喂，姐，我找到你的成绩单了，给你寄过去吗？
　　女：你还是发传真吧，我现在就要。
　　问：男的找到什么了？

7. 男：你钢琴弹得这么好，怎么没去参加比赛呢？
　　女：我错过了报名时间，只能等下次了。
　　问：女的为什么没参加比赛？

8. 男：已经两点了，你怎么还不睡觉？
　　女：这本小说还有几页，我想看看最后到底怎么样了。
　　问：女的为什么还不睡？

9. 女：我们想了解一下客人对我们宾馆的服务是不是满意，您只需要填个表格就行。
　　男：好的，没问题，希望表格不要太复杂。
　　问：女的请男的做什么？

10. 女：小刘，帮我把公司的这两页材料传真给李记者，他下周的一篇新闻里要用这些数字。
    男：好，我马上去。他的传真号码是多少？
    问：对话最可能发生在哪儿？

11. 男：现在有的人二十多岁了还没学会照顾自己，而有的人十几岁就开始工作，赚钱养家。
    女：年龄大并不一定代表有能力，穷人的孩子早当家，他们也许没有很多钱，却可能比富人
    家的孩子经历得更多。
    问：十几岁就工作的人怎么样？

12. 男：你叔叔太厉害了，他的书里写了那么多地方的景色，这些地方他都去过吗？
    女：我叔叔以前是记者，因为职业的关系，他几乎走遍了中国所有的地方，看到了很多美丽
    的景色，也认识了许多朋友，后来他就把自己的经历写成了一本书。
    问：根据对话，可以知道女的的叔叔怎么样？

第三部分

第 13—22 题：请选出正确答案。

13. 男：您好，我想办一张信用卡。
    女：办信用卡的话，您得先填一下这张表格。
    男：好的，填完以后是交给您吗？
    女：不，填好后，请到三号窗口排队就可以了。
    问：关于男的，可以知道什么？

14. 女：这是女儿专门给我们画的。
    男：这张画儿的景色实在太漂亮了！你看，花草画得像真的一样。
    女：我想把它挂起来，天天看。
    男：好主意，就挂在书房的墙上吧。
    问：男的想把画儿挂在哪儿？

15. 女：我们坐出租车去机场吧？
    男：现在正是上下班时间，路上可堵了，坐出租车去恐怕时间来不及。
    女：那怎么办？坐地铁去？
    男：坐地铁应该来得及，飞机还有两个半小时才起飞。
    问：男的打算怎么去机场？

16. 女：你怎么了？什么事让你不高兴？
    男：下午的足球比赛我们班输了。
    女：比赛总是有输有赢，下次再努力。
    男：就差一个球，实在太可惜了。
    问：男的为什么不高兴？

17. 男：你的包里没有？是不是忘办公室了？
    女：不会，刚才是我开的门。
    男：那你到底放哪儿了？你再仔细找找。
    女：我去门口看看，是不是掉那儿了。
    问：他们最可能在找什么？

18.男：见到你真高兴！你已经硕士毕业了吧？

女：是的，我去年就毕业了，但还没参加工作呢，毕业后直接读博士了。

男：还是读经济学吗？

女：对，研究方向是国际经济。

问：女的读哪个专业？

第19到20题是根据下面一段话：

母亲对女儿说："选丈夫不能马虎，一定要考虑清楚。你看你爸，什么都会修，冰箱、洗衣机，连汽车坏了他都能修……"没等母亲说完，女儿就说："我明白了！"没想到母亲接着说"你明白什么啊！如果你也找个像你爸这样的丈夫，就别想用上新东西了。"

19.她们在谈什么？

20.关于女孩儿的爸爸，可以知道什么？

第21到22题是根据下面一段话：

我弟弟叫王小帅，今年四年级。他最大的特点是不爱学习，课前不预习，考前不复习，几乎没按时完成过作业。一天，他骄傲地对我说："哥，今天老师问了个问题，除了我，谁也答不出来！"我都不敢相信自己的耳朵，问他是什么问题，他说："老师问：'谁没交作业？'"

21.关于王小帅，可以知道什么？

22.说话人说"不敢相信自己的耳朵"是什么意思？

参考答案

一、听力

1—5： × √ × × √

6—12： B C D B C A D

13—22： D B A C B

　　　　 B D B B A

二、阅读

23—26： E C B A

27—30： B D A E

31—34： CBA CAB BAC BCA

35—43： C D D C C D A B D

三、书写

44.王老师估计报名人数会超过200。

45.你们公司的传真号码是多少？

46.你能帮我请一个当地导游吗？

47.那个电影让观众很失望。

48.这实在是一个激动人心的好消息。

49.我经常在体育馆遇见这个小伙子，他非常喜欢打篮球。

50.办签证时大使馆会要求你仔细填一张表格。

第 17 课　人与自然

一、听力

第一部分

第 1—5 题：判断对错。

1. 我觉得秋天是去黄山的最好季节，因为这时候天气不冷也不热，而且山上的树叶有很多种颜色，绿的、黄的、红的，漂亮极了。
   ★ 秋季不适合去黄山。

2. 儿子，你看，地图上不同的颜色表示不同的地方，绿色的是森林，蓝色的是海洋。这里是北京，那里是上海，你来找找我们现在在哪儿。
   ★ 地图上蓝色表示海洋。

3. 很多司机都喜欢开车时听广播，因为通过听广播，他们不但可以了解路上的堵车情况，而且开车时也不会觉得太无聊。
   ★ 开车时听广播很不安全。

4. 和森林一样，在海洋里也有很多种植物，它们与海洋里的动物，共同组成了一个美丽的海底世界。
   ★ 海洋里的植物很少。

5. 昨天是中秋节，这一天的月亮应该是一年中最大最亮的。但是让人失望的是，昨天的月亮一直在厚厚的云层后面睡觉，我们什么也看不见。
   ★ 明天是中秋节。

第二部分

第 6—12 题：请选出正确答案。

6. 女：请问，您知道海洋馆的入口在哪儿吗？
   男：这条路直走，大约再有两百米，你就能看到了。
   问：根据对话，可以知道什么？

7. 女：这次文化节活动由你来负责，一定要办得热闹点儿。
   男：好，我们回去就开会讨论，星期五之前把详细的计划书发给您。
   问：关于男的，可以知道什么？

8. 男：小狗是不是生病了？毛的颜色不亮，看上去精神也不太好。
   女：我猜可能是它刚换了新环境，还没有适应，熟悉了就好了。
   问：小狗怎么了？

9. 男：52 路和 407 路都能到我这儿，你看看有没有这两趟车？

　女：52 路来了，我先挂了啊，一会儿见。

　问：女的现在最可能在哪儿？

10. 男：现在生意越来越不好做了，咱们公司只能把价格再降低一些了。

　女：是啊，竞争压力确实是越来越大。不过我觉得竞争对公司的发展有很大的好处，就好像一场体育比赛，有了竞争，比赛才会更精彩。

　问：关于对话，下列哪个正确？

11. 男：马上就要放暑假了，我打算先回一趟家，看看我奶奶，然后去国外逛逛。你有什么安排吗？

　女：这个暑假你倒轻松，真羡慕你啊！我计划在学校准备研究生考试。

　问：女的暑假计划干什么？

12. 男：我明天下午要去大使馆取签证，电影票最好买五六点的。

　女：我刚上网看了一下，五点的已经卖光了，只剩下六点半的了，我们看这个时间的怎么样？

　问：根据对话，下列哪个正确？

第三部分

第 13—22 题：请选出正确答案。

13. 女：我猜照片中间这个男孩儿是你，对不对？

　男：对，这是我五岁时照的照片。左边这个是我哥哥。

　女：你们俩长得真像，个子也差不多。

　男：是，大家都这么说。

　问：关于男的，下列哪个正确？

14. 男：这里的景色确实很不错。

　女：那当然，这是我最喜欢的一个森林公园。

　男：阳光好，空气新鲜，来这儿散步真舒服。

　女：既然你喜欢，以后我们可以常来。

　问：他们在哪儿？

15. 女：早，我看外面下雪了，很冷吧？

　男：还行，不是太冷。

　女：我把空调打开了，一会儿就暖和了。

　男：其实不用开空调，我是走路过来的，走得都有点儿热了。

　问：外面天气怎么样？

16. 女：叔叔，为什么说地球是蓝色的？

　男：因为地球上百分之七十的地方都是海洋，而海水是蓝色的。

　女：既然地球上有这么多的水，为什么老师还让我们节约用水？

　男：因为海水是不能直接喝的，人可以用的水实际上非常少。

　问：女的对什么感到奇怪？

17. 男：你换球鞋干什么啊？又要出去啊？

　　女：去打网球。我约了小王，他打网球很厉害，你敢和他打吗？

　　男：当然敢。虽然你们和他打，他从来没输过，可我倒不怕他。

　　女：那一起去吧！看看你到底能不能赢。

　　问：小王的网球打得怎么样？

18. 男：奇怪，这花儿才买来几天，怎么叶子就掉了？

　　女：这种花儿在南方很常见，需要阳光。你是不是一直把它放在阳光不好的地方了？

　　男：是啊，就放在卧室里了。

　　女：这种植物喜欢阳光，光不好很容易掉叶子。咱们把它搬到院子里，可能会好些。

　　问：女的想把花儿放在哪儿？

第 19 到 20 题是根据下面一段话：

　　各位观众，大家晚上好。欢迎大家在星期六晚上，准时收看我们的《人与自然》节目。在今天的节目里，我们主要向大家介绍亚洲虎。今天我们还请来了国内著名的动物学家王教授来给我们介绍这方面的知识。

　　19. 王教授研究的是什么专业？

　　20. 今天的节目主要介绍什么？

第 21 到 22 题是根据下面一段话：

　　每年七八月份，也就是放暑假的时候，会有大量的游客来这儿参观，最多的时候会比平时多出三四倍。为了使参观能顺利进行，保证游客的安全，参观的人数如果超过一定的数量，那我们会暂时关门，不让太多的游客进入。

　　21. 什么时候参观人数较多？

　　22. 为什么不让太多游客进入？

参考答案

一、听力

　　1—5：　× 　√ 　× 　× 　×

　　6—12：　C　D　A　C　D　D　B

　　13—22：　C　A　B　C　B

　　　　　　　C　D　C　B　D

二、阅读

　　23—26：　E　A　B　C

　　27—30：　C　A　E　B

　　31—34：　BAC　CAB　BAC　CAB

　　35—43：　A　C　D　D　D　B　B　D　C

三、书写

44. 把剩下的数字排列一下。

45. 请同学们按照顺序排好队。

46. 鼓励竞争能推动经济发展。

47. 这两个城市的距离是一万公里。

48. 老师们应该使自己的课变得活泼。

49. 这两只狗的毛真好看，抱起来一定特别舒服。

50. 从这里到天安门还有两公里，我们时间来得及。

第18课　科技与世界

一、听力

第一部分

第1—5题：判断对错。

1. 先生，您把收件人和寄件人的地址填反了，这儿应该填您自己的地址。我再给您一张单子，您重新填一下吧。

　　★ 地址填错地方了。

2. 姐，咱们弄错方向了，去西边的公共汽车应该过马路去那边坐。正好前边有个天桥，我们从那儿过马路吧。

　　★ 他们要坐地铁。

3. 由于冷空气南下，我省明天将迎来大风降温天气，有些地方还会有小到中雨，交通会受到一定影响，听众朋友们出行时一定要注意安全。

　　★ 明天中午有大雪。

4. 遇到危险时，哭不能解决任何问题，你应该想办法向别人求助。但在这之前，你必须先让自己冷静下来。

　　★ 遇到危险时要冷静。

5. 黄河是中国第二大河，它有5464公里长，人们把它叫作"母亲河"。从地图上看，它就像一个大大的"几"字。

　　★ 黄河是中国的"母亲河"。

第二部分

第6—12题：请选出正确答案。

6. 女：你叔叔刚打电话来说给你发了个电子邮件，让你查收。
　　男：我正在上邮箱，可一直进不去，真奇怪，总说我的密码有错，没错啊。
　　问：男的为什么感到奇怪？

7. 男：喂，你在哪儿呢？我已经到公园了，怎么看不到你啊？
　　女：我在公园旁边的超市呢，正好我买了一箱矿泉水，你来接我一下吧。
　　问：关于男的，下列哪个正确？

8. 男：你那儿有大一点儿的信封吗？这个太小了。
　　女：稍等一下，我发完这封电子邮件就给你找。
　　问：男的让女的做什么？

9. 男：你尝一下，这个菜味道怎么样？
　　女：我尝了，稍微有点儿咸，是不是盐放多了？
　　问：他们在谈什么？

10. 男：你困了就先去睡一会儿吧，等比赛开始了，我再叫你起来接着看。
　　女：好的，我实在受不了了，先去躺会儿。
　　问：女的怎么了？

11. 女：做得怎么样了？今天能解决这个问题吗？
　　男：情况比我们想的复杂得多，还有一个技术问题不知道怎么办，今天恐怕完不了了。
　　问：男的现在心情怎么样？

12. 男：我想买这本词典，可出门忘带钱包了，你能不能先借我一点儿？一会儿回去还你。
　　女：没问题。高老师，您要多少？
　　问：男的在做什么？

第三部分

第 13—22 题：请选出正确答案。

13. 女：大学毕业后就没联系了，你现在在哪儿工作呢？
　　男：毕业后在老家工作了一年，接着又考上了北京大学，现在在读研究生。
　　女：真厉害！是硕士了。你读什么专业？几年？
　　男：教育学，三年。
　　问：女的为什么说男的很厉害？

14. 男：明天见面的地点改在东门了？
　　女：是，从那边去国家图书馆方便一些。
　　男：那我通知班里的同学。时间变了吗？
　　女：没变，还是上午八点。
　　问：他们明天要去哪儿？

15. 女：这个网站地址是不是错的？试了好几遍都打不开。
　　男：你把网址发过来，我试一下。
　　女：怎么样？你那儿能打开吗？
　　男：可以，速度挺快的，是不是你电脑有问题？
　　问：根据对话，可以知道：

16. 女：危险！你开得太快了。
　　男：好吧，好吧，我开慢点儿。
　　女：你现在把车停下，我来开，我真受不了你了！
　　男：让我再开会儿。你不是也刚学会几天吗？自己也是个新手。
　　女：至少比你开得慢，技术比你好。
　　问：通过对话，可以知道男的：

17.女：你联系那位作者了吗?

男：联系了，她竟然是一位在校大学生，没想到她那么年轻。

女：她同意和我们聊一聊了?

男：是的，暂定在下星期一，她上午九点来我们办公室谈。

问：通过对话，可以知道男的联系了：

18.男：我昨天晚上做了一个特别有意思的梦，梦到家里有好多好多水，高兴死我了。

女：这有什么可高兴的? 晚上做梦时，身体感觉到什么，人就容易梦到什么内容。

男：早上一醒，我就去查了《周公解梦》，书上说梦到水，说明会有很大一笔收入呢!

女：那你慢慢等着吧，那本书上的内容一点儿也不科学。

问：关于《周公解梦》，下列哪个最可能正确?

第19到20题是根据下面一段话：

每个人都应该学会管理时间，而做计划表、严格按照计划做事是有效管理时间的第一步。在做计划表时首先要注意把重要的事安排在前面，除此之外，还要写明完成时间，这样才能做到不浪费一分一秒。

19.做计划表时，首先要注意什么?

20.这段话主要谈的是什么?

第21到22题是根据下面一段话：

因为有些人觉得用手写字麻烦，于是有了打字机；因为有些人觉得每天爬楼麻烦，于是有了电梯；因为有些人觉得洗衣服麻烦，于是有了洗衣机；同样因为有些人觉得走路又累又麻烦，才有了各种交通工具。所以，觉得麻烦不一定是件坏事。

21.根据这段话，为什么会出现洗衣机?

22.这段话主要想告诉我们什么?

参考答案

一、听力

1—5： ✓ × × ✓ ✓

6—12： D C C A A C A

13—22： C D D A B

D C C D A

二、阅读

23—26： C E B A

27—30： D A B E

31—34： BAC CAB BAC CAB

35—43： C A C D C C D C C

三、书写

44.飞机被认为是最安全的交通方式。

45.一个优秀的警察需要有责任感。

46.回来的路上我顺便去了趟邮局。

47.这本书的作者是位著名的历史教授。

48.你爸把信用卡的密码改了。

49.飞机马上就要降落了，一会儿告诉他我们在机场门口等他。

50.那座山小路特别多，第一次来的人很容易迷路。

第 19 课　生活的味道

一、听力

第一部分

第 1—5 题：判断对错。

1. 别以为做错了事道个歉，说句对不起就行了。因为得到别人的原谅很容易，但要重新让别人再相信你却很难。
   ★ 想重新让人相信很难。

2. 你好，我想理个发，稍微短一点儿就可以。一会儿我还有些事要办，所以麻烦你快一点儿。
   ★ 他在理发店。

3. 我想租一个交通方便的房子，离地铁站近点儿，但是周围环境不能太吵，房租最好也别太贵。当然，如果房东比较友好，那就更好了。
   ★ 他想租个大房子。

4. 音乐不仅是一门艺术，也是一种语言。人们对音乐的喜爱与国籍无关。通过音乐，不同国家的人可以交流感情，增进了解。
   ★ 人们可以通过音乐交流感情。

5. 他虽然不是在这儿出生的，但却是在这儿长大的。他三岁跟父亲母亲一起来到这儿，就再也没离开过。因此，他对这个地方感情很深。
   ★ 他刚来这儿不久。

第二部分

第 6—12 题：请选出正确答案。

6. 男：你乒乓球打得真不错，有时间能教教我吗？
   女：没问题。我每周六都会来体育馆，到时候你来找我就行了。
   问：女的是什么意思？

7. 男：你这么着急去哪儿啊？我刚才叫你两次你都没听到。
   女：我去打印几份材料，一会儿上课讨论的时候要用。
   问：女的为什么很着急？

8. 女：打了一下午羽毛球，肚子有点儿饿了。真香，今天吃什么？
   男：你鼻子真好，今晚我们吃饺子。再等一会儿，饭马上就好。
   问：关于女的，可以知道什么？

9. 男：开一下窗户吧，热得我都有点儿受不了了。
   女：是你穿得太多了，把外面那件衣服脱了吧。
   问：根据对话，可以知道什么？

10. 女：你看见我的手表没有？我印象里上车的时候还戴着呢。
　　男：那看看在不在你包里。不会丢在出租车上了吧？
　　问：女的在找什么？

11. 男：孙小姐，表格我做好了，您看看有什么问题没有？
　　女：刚才忘和你说了，还要再加上一列"性别"。
　　问：女的要求怎么做？

12. 男：厨房里的这个灯太小了，抽时间换一个大点儿、亮点儿的吧。
　　女：以前不觉得，你现在一说，我也觉得确实挺小的。我今天下班去超市买一个。
　　问：他们觉得厨房的灯怎么样？

第三部分

第13—22题：请选出正确答案。

13. 女：请把姓名、年龄、性别、联系方式等信息填在这张表上。
　　男：好的，是在一楼打针吗？
　　女：对，一楼，第二个房间就是打针室。到时候表交给护士就行了。
　　男：好的，谢谢你。
　　问：男的最可能在哪儿？

14. 男：您好，我要两张电影票，八点二十那场。
　　女：好的，您选一下座位吧，电脑上这些蓝色的都可以选。
　　男：我要中间的，第十排，九号和十号。
　　女：好的，先生，一共一百二十元。
　　问：他们最可能在哪儿？

15. 男：你想租什么样的房子？
　　女：最好是离公司近一点儿，周围要安静，当然也不能太贵了。
　　男：咱公司附近是购物中心，估计没有太便宜的房子。
　　女：如果交通方便，稍微远一点儿，我也可以考虑。
　　问：女的想找什么样的房子？

16. 男：请问，附近哪儿可以复印？
　　女：图书馆一楼东边有几台自助复印机。
　　男：图书馆那儿人太多，总是排队，还有其他地方吗？
　　女：那你要去学校外面了，南门对面有个小商店，那儿也可以复印。
　　问：根据对话，男的最可能去哪儿？

17. 男：小心，您慢点儿，我跟您一起搬吧。
　　女：没关系，这个小沙发我自己搬得动。
　　男：您这是要把它搬出来放哪儿啊？
　　女：就这儿，再往左边一点儿就好了。
　　问：女的在搬什么？

18. 男：你学得可真快！

女：我小时候学过两年的舞蹈，有点儿基础。

男：原来是这样啊，那你帮我看看，我的动作对不对？

女：总的来说，你跳得也不错，不过，胳膊再抬高点儿就更标准了。

问：女的为什么学得快？

第 19 到 20 题是根据下面一段话：

邓亚萍是中国著名的乒乓球运动员，也是获得世界乒乓球比赛第一次数最多的女运动员。她身高只有一米五五，看上去好像不是打乒乓球的材料，但她通过自己的努力，十三岁就获得全国第一，十五岁获得亚洲第一，第二年又成为世界第一，改变了人们认为高个子才适合打乒乓球的看法。

19. 关于邓亚萍，可以知道什么？

20. 邓亚萍什么时候获得亚洲第一？

第 21 到 22 题是根据下面一段话：

今天早上在上班路上，我看见同事小月走在前面不远处，就想跟她打个招呼。于是，我一边快走一边叫她的名字，可她一直没回头。我只好加快速度向她跑了过去，等到了她身边，才发现原来我认错人了。

21. 说话人一开始想和谁打招呼？

22. 说话人怎么了？

参考答案

一、听力

1—5： ✓ ✓ × ✓ ×

6—12： B B C B A B C

13—22： D B C C B

B B B A B

二、阅读

23—26： B E A C

27—30： B D E A

31—34： BCA CAB ACB BAC

35—43： B C A C A B C B C

三、书写

44. 我这里有很多零钱可以借给你。

45. 房东每天晚上 9 点左右回来。

46. 这个学期我选了最喜欢的中国音乐史。

47. 以前那条破街道变得真热闹！

48. 我收拾厨房的时候把衣服弄脏了。

49. 吃西餐用的刀一般都放在盘子右边。

50. 他们小区的环境很不错，又漂亮又安静。

第 20 课　路上的风景

一、听力

第一部分

第 1—5 题：判断对错。

1. 各位乘客，你们好，感谢大家乘坐本次航班。我们为您准备了饮料和小吃，请您在座位上等一下，工作人员会送到您身边。
   ★ 他们在火车上。

2. 大家干得非常好，我们已经提前完成了全年任务，感谢大家这几个月来的努力工作！好，现在我代表公司祝贺大家顺利完成任务！
   ★ 大家受到了表扬。

3. 我打算去云南玩儿，听说那边四季如春，不仅风景美，而且当地少数民族都非常热情，相信这个暑假会十分有趣。
   ★ 他暑假想去云南旅行。

4. 给，这是家里大门的钥匙，你和你姐一人一把。这把小的是你房间的，拿好了，别弄丢了。
   ★ 大门钥匙只有一把。

5. 在加油站或者离加油站很近的地方抽烟、打手机，是很危险的。因此，法律规定加油站禁止抽烟和使用手机。
   ★ 加油站不允许打手机。

第二部分

第 6—12 题：请选出正确答案。

6. 女：你不是出差了吗？怎么还在这里？
   男：我是准时出发的，可是路上堵车。我到机场时，我要坐的飞机已经起飞了。
   问：男的怎么了？

7. 男：听说你儿子去年结婚了，现在他生活不错吧。
   女：别提了，他怪可怜的。他妻子太懒，不做饭，不洗衣服，连孩子也不带。
   问：女的为什么觉得儿子可怜？

8. 男：你好，我想报名参加这个月的普通话水平考试。
   女：对不起，报名工作今天上午刚结束。下次考试的报名时间您可以上我们的网站查一下。
   问：男的想要干什么？

9. 男：这个笑话确实有意思，你在哪里看到的？
   女：有一个网站，里面有很多有趣的笑话，我现在就把网址发给你。
   问：那个笑话是在哪儿看到的？

10. 女：你看见我的钥匙了吗？刚刚我去银行存钱时，记得放到包里了。这会儿就找不到了。

男：别找了，你看，在门上挂着呢。

问：钥匙在哪儿？

11. 男：医生，我的病严重吗？是不是需要打针啊？

女：不是很严重，我给你开点儿药，回去好好休息。另外，最近不要抽烟，少吃咸的和辣的。

问：根据对话，哪个对男的身体有好处？

12. 男：这次活动非常成功，大家顺利完成了公司交给的任务。辛苦了，祝贺你们！

女：能有这么大的成绩，主要是每个人工作都非常努力。来，干一杯！

问：男的是什么心情？

第三部分

第 13—22 题：请选出正确答案。

13. 男：东西都收拾好了吗？可以出发了吧？

女：马上，再拿些吃的就行了。

男：少拿点儿，别带太多。

女：我知道，就拿两瓶水，两包饼干。

问：男的希望女的怎么样？

14. 男：油箱里剩的油不多了，看看哪儿有加油站。

女：前面就有一个，大概有四五公里远。

男：好，那我就放心了，刚才我还有点儿担心，怕开着开着没油了。

女：我们先去加油，航班是十点的，来得及。

问：男的刚才担心什么？

15. 女：你会游泳吗？

男：当然会，我是在长江边上长大的，小时候常去江里游泳。

女：真的？那会不会很危险？

男：江边长大的孩子从小就习惯了，没什么危险的。

问：女的认为什么很危险？

16. 男：对面新开了家饭馆儿，你去过吗？

女：去过，那儿菜不错，特别是烤鸭，服务态度也挺好，就是去晚了要等座位。

男：那我这会儿去估计有很多人了。

女：是，你想去的话要早点儿出发。

问：女的觉得那家饭馆儿怎么样？

17. 男：你今天打扮得真漂亮，有约会啊？

女：不是，下午有家银行通知我去面试，所以就打扮了一下。

男：银行挺好的，紧张不？

女：不紧张，这是我这个星期的第四个面试了。

问：女的今天为什么要打扮？

18. 男：你怎么这么兴奋？不就是收拾完房间了吗？

女：你猜我收拾房间时找到什么了？

男：难道找到钱了？

女：你真聪明，我在咱们床底下找到一百块钱。

男：一说起钱，我突然想起来我昨天衣服口袋里少了一百。那就是我的钱！

问：女的怎么了？

第 19 到 20 题是根据下面一段话：

人们在喝酒时，用眼睛能欣赏到酒的颜色，用鼻子可以感觉到酒的香气，用嘴能尝到酒的味道，只剩下耳朵没事做，所以它不太高兴。可当我们一干杯，杯子就会发出好听的声音，耳朵一听到，就高兴起来了。这也许就是中国人喝酒时总喜欢干杯的原因。

19. 人们干杯时会怎样？

20. 这段话主要讲中国人喝酒时：

第 21 到 22 题是根据下面一段话：

从中国的最南边到最北边有五千多公里，因此南北方的气候有很大区别。南方很多地方的冬天一点儿也不冷，温度跟北方春天差不多，2 月份的时候已经很暖和，可以只穿一件毛衣了，树开始长出新叶子，路边的花也开了，非常漂亮。所以很多北方人都喜欢这个时候去南方旅行，而南方人也喜欢这个时候去北方滑雪和看冰灯。

21. 南方很多地方，2 月会怎么样？

22. 这段话主要介绍什么？

参考答案

一、听力

1—5： × √ √ × √

6—12： C D B C D C A

13—22： B B D B

B C D D A C

二、阅读

23—26： B E C A

27—30： E A B D

31—34： ACB BCA ACB ACB

35—43： D C B B C A C C D

三、书写

44. 飞机 15 分钟后就在首都机场降落。

45. 那名导游讲的笑话很有趣。

46. 这儿究竟发生了什么事情？

47. 他把客厅收拾得挺干净的。

48. 离这儿两公里有一个加油站。

49. 女儿高兴地把零钱存了起来，等着以后买漂亮的衣服。

50. 那个女人因为离得太远，没听清楚他们的对话。

HSK（四级）模拟试卷

（音乐，30秒，减弱）

大家好！欢迎参加 HSK（四级）考试。
大家好！欢迎参加 HSK（四级）考试。
大家好！欢迎参加 HSK（四级）考试。

HSK（四级）听力考试分三部分，共45题。
请大家注意，听力考试现在开始。

第一部分

一共10个题，每题听一次。

例如：我想去办个信用卡，今天下午你有时间吗？陪我去一趟银行？
　　　★ 他打算下午去银行。

　　　　现在我很少看电视，其中一个原因是，广告太多了，不管什么时间，也不管什么节目，只要你打开电视，总能看到那么多的广告，浪费我的时间。

　　　★ 他喜欢看电视广告。

现在开始第1题：

1. 白老师最大的爱好就是打篮球，大学时他还多次参加校篮球比赛。尽管现在工作很忙，可到了周末他仍然会约朋友去打球。
　　★ 白老师现在仍然爱打球。

2. 她和我都在这座大楼里上班，所以我经常能在电梯里遇到她。虽然我们从来没有说过话，但却好像是很熟悉的老朋友，见面都会互相笑一笑。
　　★ 他们俩经常聊天儿。

3. 从小父母对我的要求就很严格，我非常不理解他们。但是在女儿出生以后，我才知道做妈妈有多么不容易，现在我终于理解我的父母了，感谢他们给我的爱。
　　★ 现在她也当妈妈了。

4. 阳光是所有动植物生命中都不可缺少的，太阳每天都为地球提供大量阳光，这保证了动植物能生活在合适的温度下，所以太阳对我们的影响是非常大的。
　　★ 太阳对大自然的影响很大。

5. 本来只是个小问题，但你和小夏当时都没做出解释，这才引起了误会。我觉得你们俩见一面，把事情说清楚就好了。
　　★ 小夏把误会解释清楚了。

6. 今天的会议开得很好，大家都谈了自己的意见和看法，也指出了一些新的问题，现在我们请高校长做一个总结。
　　★ 高校长发现了新问题。

7. 喂，夏叔叔，我是小东，我乘坐的航班还没起飞呢，机场通知推迟了一个小时。我估计下午六点才能到首都机场，您别着急啊。

    ★ 飞机没按时起飞。

8. 各位乘客，前方到站是西直门。西直门是换乘车站，换乘车站乘客较多，请下车的乘客提前做好准备。

    ★ 西直门车站还没到。

9. 以前多数大学生毕业后都希望留在大城市工作生活，但现在选择去农村的大学生也变得越来越多，他们认为在那里也许有更好的发展机会。

    ★ 大学生不希望去农村工作。

10. 这份材料明天早上开会时要用，小王你得辛苦一下，麻烦你晚上十点之前翻译出来，然后打印一份交给马经理。

    ★ 小王今天要加班。

第二部分

一共 15 个题，每题听一次。

例如：女：该加油了，去机场的路上有加油站吗？
    男：有，你放心吧。
    问：男的主要是什么意思？

现在开始第 11 题：

11. 男：夏雪，你是法律专业的，将来想当律师吗？
    女：我原来是这样想的，不过后来我发现自己对新闻更感兴趣，也许以后我会成为一名记者。
    问：关于女的，下列哪个正确？

12. 男：我能换一下座位吗？我想往前面坐一点儿。
    女：对不起，黄先生，座位都是按照报名的先后顺序安排的。
    问：女的是什么意思？

13. 男：你好，我想把这些衣服寄到外地，需要多少钱呢？
    女：这些衣服有两公斤。一公斤以内都是十五元，然后每超出一公斤加收六块钱。
    问：男的寄衣服需要多少钱？

14. 男：前面那条路车可能开不进去，您走过去五分钟就到海洋馆入口了。
    女：那就停在这个路口吧。师傅，一共多少钱？
    问：男的最可能是做什么的？

15. 女：李洋，我明天去办签证，你知道中国大使馆怎么走吗？
    男：我帮你上网查一下，网站上应该提供了地址和联系电话。
    问：女的要做什么？

16. 女：我现在租的这个房子交通比较方便，可是有点儿吵，我想重新找个房子。
    男：我有个邻居正好要出租房子，我们那儿还挺安静的，环境也不错。
    问：女的现在租的房子怎么样？

17. 女：新婚快乐！今天你可得多喝几杯。祝你和小马生活幸福，白头到老！
    男：谢谢！也希望早点儿听到你结婚的消息。干杯！
    问：关于男的，可以知道什么？

18. 女：小孙，原来是你啊？你平时常来这儿打羽毛球吗？以前怎么没看见你啊？
    男：我很少来首都体育馆，一般在我们家旁边的一个公园里打，今天外面风大。
    问：男的为什么没去公园打羽毛球？

19. 男：今天是报名的最后一天。你考虑清楚了吗？真的要放弃这次好机会？
    女：我也想去海南旅行，不过最近我母亲身体不太好，所以决定留下来照顾她。
    问：女的为什么要放弃这次旅行机会？

20. 女：李东，我昨天打印的那份材料，你帮我给民族大学国际交流处寄出去了吗？
    男：还没呢，昨天邮局已经下班了。对了，邮寄地址是南京路 106 号吧？
    问：男的为什么还没寄出去材料？

21. 男：我女朋友总说我不浪漫，让我多跟电影学学，你快给我介绍几部爱情电影、电视吧。
    女：行啊，最近电影院同时推出了好几部爱情电影，《海洋馆的约会》《将爱情进行到底》什么的，电视剧现在有《北京爱情故事》，你都可以看看。
    问：关于男的，下列哪个正确？

22. 女：你知道怎么去西山森林公园吗？听说那里正在举办红叶节。
    男：我以前只去过香山红叶节，对那儿也不太熟悉。不过网上有地图，我帮你查查。
    问：男的是什么意思？

23. 女：师傅，到世纪宾馆还得需要多长时间？
    男：现在我们刚到长江大桥，过了中山公园才到。大概还得四十多分钟，您先休息一会儿，快到时我会叫您的。
    问：女的要去哪儿？

24. 男：这些水果是我从新疆带回来的，还有葡萄干。
    女：谢谢你，我原来以为你去新疆开完环保研讨会后，会顺便在新疆玩儿几天呢，没想到这么快就回来了。
    问：男的去新疆做什么？

25. 男：小周晚上请老同学们去他的新家里吃饭，我给他带了瓶葡萄汁和一盒茶叶。你去过他的新家吗？
    女：没去过，他那儿的名字好像是"长江花园"，听说环境很好，很安静。
    问：关于小周，下列哪个正确？

第三部分

一共 20 个题，每题听一次。

例如：男：把这个材料复印 5 份，一会儿拿到会议室发给大家。
     女：好的。会议是下午三点吗？

男：改了。三点半，推迟了半个小时。
女：好，602会议室没变吧？
男：对，没变。
问：会议几点开始？

现在开始第26题：

26. 男：王雪，上午刚从图书馆借的那本杂志，怎么找不到了？
　　女：你说的是哪本杂志啊？
　　男：就是那本介绍电影艺术节的杂志，我就放在桌子上了。
　　女：不用到处找了，我刚看了一下，在沙发上呢。
　　问：男的在找什么？

27. 女：张经理，我有一个南京市的朋友想来上海做生意。
　　男：好啊，上海这个城市大，市场也大，机会也多。
　　女：可是他对当地的情况都不太了解。
　　男：可以问我啊，我在这儿工作快二十年了。
　　问：关于男的，下列哪个正确？

28. 男：小姐，您是今天第一个来我们超市购买"水之印象"的客人，我们准备了一个小礼物送
　　　给您。
　　女：真的吗？谢谢你！太高兴了。
　　男：这是我们超市送您的环保购物袋，祝您购物愉快。您使用完"水之印象"后，皮肤肯定
　　　会变得更好。
　　女：谢谢你。
　　问：女的为什么很高兴？

29. 男：王月，你从云南来山西这么久了，还没适应这里的天气？
　　女：没办法，我以前就比较怕冷。
　　男：那你要注意身体，最近天气在降温，明天气温会很低。
　　女：知道，我会穿得厚厚的，出门就戴上帽子。
　　问：关于女的，下列哪个正确？

30. 女：李先生，你给我们公司寄过来的那篇文章写得不错，写过新闻吗？
　　男：我上大学时是校报的记者，发过一些关于亚洲艺术节的新闻。
　　女：很好，今天就先谈到这儿，周五之前我们会电话联系你的。
　　男：好的，谢谢您。
　　女：不客气，再见。
　　问：女的现在最可能在做什么？

31. 女：先生，能打扰您几分钟吗？
　　男：什么事？
　　女：我是民族大学的学生，在做社会调查。关于《勇敢的心》这部电视，这里有一些问题，
　　　您能帮我填个表格吗？
　　男：可以，不过我正在看《血色浪漫》，还没看那部电视呢。
　　问：女的请男的做什么？

32. 男：小云，你怎么了？
    女：我们本来说明天要去国家大剧院看京剧的，刚才突然又说有变化，让等通知。
    男：那就等一等好了，也许一会儿就有好消息了。
    女：也只能这样了。
    问：女的现在感觉怎么样？

33. 男：小叶，看什么呢？这么认真，叫你两次都没听见。
    女：新买的杂志，里面有篇文章写得很好，有时间你也看看。
    男：是吗？关于什么的？
    女：是谈各地旅游特色的，文章介绍了湖南的特色菜、西安的小吃，还有黄山的景色，等
        等，让人一看就想马上出发去看看。
    问：那篇文章是关于哪方面的？

34. 女：小亮，还有半个月就要放寒假了，我们全家准备去三亚，你有什么安排？
    男：我打算去东北玩儿。
    女：东北？那儿冬天多冷啊！你怎么会想去那儿玩儿？
    男：冷是冷，可是那儿冬天也很漂亮，特别是那里的长白山。
    问：女的觉得东北怎么样？

35. 女：小林，你刚才打电话时说的是汉语吗？我怎么一句话也听不懂啊？
    男：当然是啊。不过我说的是四川话，它和普通话的区别很大，别说你听不懂，就连很多中
        国人也听不太懂。
    女：那我就不担心了，刚才我还一直后悔自己不够努力，没把汉语学好呢。
    男：其实如果你听习惯了，也能慢慢听懂的。
    问：男的说话有什么特点？

第 36 到 37 题是根据下面一段话：
    有三个人一起去旅行，为了能看到最美的风景，他们决定住在一个大宾馆的第 45 层。一天
晚上，大楼电梯出了问题，他们商量后决定，把包放在服务台，爬楼走回房间。三个人开着玩
笑讲着故事，好不容易才爬到第 34 层。这时，一个人说："好的，该我讲故事了，我的故事不长，
却让人很伤心……我把房间的钥匙忘在包里了。"
    36. 这三个人为什么爬楼回房间？
    37. 根据内容，可以知道他们怎么样？

第 38 到 39 题是根据下面一段话：
    在地球的北半球，一般 3、4、5 月是春季，6、7、8 月是夏季，9、10、11 是秋季，剩下的
三个月是冬季，而南半球的季节正好与北半球相反。当北半球到处春暖花开的时候，南半球已
经进入凉快的秋天，树叶也开始慢慢地变黄了；当北半球的气温慢慢降低，变得越来越寒冷的
时候，南半球的天气却开始热起来。
    38. 在南半球，12 月是哪个季节？
    39. 关于南北半球，可以知道：

第 40 到 41 题是根据下面一段话：
    绿色在人们眼中往往代表着生命和希望，现在它有了一种新的意思，那就是无污染。市场

上大受欢迎的"绿色食品"，就是指那些没有受到污染的、优质的、安全的食品。绿色食品的价格一般比普通食品高，但是吃绿色食品对身体有很大的好处。

40．绿色可以代表什么？

41．关于绿色食品，下列哪个正确？

第 42 到 43 题是根据下面一段话：

葡萄酒是一种用新鲜的葡萄或者葡萄汁做的饮料，一般会分为两种：红葡萄酒和白葡萄酒。红葡萄酒带着葡萄皮做，而做白葡萄酒需要去掉皮。阳光会让葡萄酒的味道发生改变，因此，很多葡萄酒的瓶子都是深色的，这样对酒能起到很好的保护作用。

42．深色酒瓶的作用是什么？

43．这段话谈到了下面的哪一个？

第 44 到 45 题是根据下面一段话：

写日记是一个很好的习惯，把每天发生的事情记在日记本上，也算是对一天生活的总结。它还可以帮我们记住过去发生的事情，给我们留下很多美好的回忆。随着电脑和互联网技术的发展，越来越多的人喜欢在网上写日记。这样既可以记下每天发生的事，又能让朋友及时了解自己的生活。另外，在网上写日记还节约用纸，保护环境。

44．关于写日记，下列哪个正确？

45．根据这段话，网上写日记有什么优点？

听力考试现在结束。

参考答案

一、听力

1—10： √ × √ √ ×
× √ √ × √

11—25： D C D C D
C A B C D
C B A C C

26—45： B C B C B
A B C D C
C B B A A
B B A C D

二、阅读

46—50： C A E B F

51—55： D E A B F

56—65： ABC BAC ACB ABC
ACB BCA ACB ACB
BCA BAC

66—85： B A D D A
C A D B C
D B D C C
D A B C D

三、书写

86．大概有三分之一的人反对这样做。

87．任何事情的发生都是有原因的。

88．今年公司的收入比去年增加了一倍。

89．这两个词语的用法有什么区别？

90．她丈夫是著名的京剧演员。

91．请问窗户旁边的座位有人吗？

92．请把这些表格按照时间顺序排好。

93．您乘坐的航班马上就要起飞了。

94．不提供免费塑料袋是为了减少环境污染。

95．大使馆通知我我的留学申请通过了。

96．不仅电视和广播，就连地铁站的墙上都挂满了广告。

97．通过自己的努力，他终于提前完成任务，获得了成功。

98．这种葡萄酒的味道很特别，只要你尝过就不会忘记。

99．刚一上路汽车就出了问题，只好找人来帮我修理。

100．去云南旅行除了能看到美丽的自然风景，还能欣赏到精彩的表演。